Ludwig Thoma
Der Münchner im Himmel

Zur Erinnerung an Nürnberg / Bayern.
1988

Margit und T...

SERIE PIPER
Band 684

Zu diesem Buch

»Alois Hingerl, Nr. 172, Dienstmann in München, besorgte einen
Auftrag mit solcher Hast, daß er vom Schlage gerührt zu Boden fiel
und starb« – so beginnt die Geschichte, mit der Ludwig Thoma sich,
seinen Münchnern und ihrer Stadt ein Denkmal gesetzt hat, das
seinesgleichen sucht: »Der Münchner im Himmel«. Wie die anderen
humoristischen Miniaturen, die dieser Band versammelt, besticht
dieses Meisterwerk durch die Kunst Thomas, das genau Beobachtete,
das Typische eines Menschen, eines ganzen Menschenschlages durch
ironische Überzeichnung erst in ganzer Deutlichkeit erkennbar werden zu lassen.

Seien es die lyrisch-historischen Impressionen der Fabrikanten-
familie Käsebier aus Charlottenburg, die sie aus Italien an die Daheim-
gebliebenen senden oder die pflichteifrigen Verstrickungen des Asses-
sors Karlchen, den die gestrenge Verfolgung der Unzucht zu einem
unverhofften Taufsohn und Alimentenempfänger verhilft – der scharfe
Blick Thomas im Verein mit seiner spitzen Feder gibt ein zeitlos tref-
fendes Bild des Menschen und seiner Schwächen – der verzeihlichen
wie der unverzeihlichen.

Ludwig Thoma (1867–1921) studierte in München und Erlangen
Rechtswissenschaften und ließ sich zunächst in Dachau, später in
München als Rechtsanwalt nieder. Nebenbei begann er zu schreiben;
erste Erzählungen erschienen in der »Augsburger Zeitung« und in der
Jugend. 1899 wurde Thoma Redakteur der satirischen Zeitschrift
»Simplicissimus«. Seine Satiren und Erzählungen, seine Romane
und Theaterstücke zeigen ihn als einen genauen Beobachter der
menschlichen Gesellschaft und des bäuerlichen Lebens seiner Heimat.
Heute gilt Thoma als der bedeutendste bayerische Schriftsteller des
20. Jahrhunderts.

Ludwig Thoma

Der Münchner im Himmel

Satiren und Humoresken

Piper
München Zürich

ISBN 3-492-10684-6
Oktober 1986
© R. Piper GmbH & Co. KG, München 1986
Umschlag: Federico Luci,
unter Verwendung einer Karikatur von Olaf Gulbransson
Satz: C. H. Beck'sche Buchdruckerei, Nördlingen
Druck und Bindung: Clausen & Bosse, Leck
Printed in Germany

Inhalt

Daheim und bei den andern

Von Rechts wegen

Von Thron, Altar und Revolution

Daheim und bei den andern

In *München*. Der schwere Wagen poltert auf den Schienen; beim Anhalten gibt es einen Ruck, daß die stehenden Passagiere durcheinander gerüttelt werden.

Ein Schaffner ruft die Station aus.

»Müliansplatz!«

Heißt eigentlich Maximiliansplatz.

Aber der Schaffner hat Schmalzler geschnupft und kann die langen Namen nicht leiden.

Ein Student steigt auf. Er trägt eine farbige Mütze, und der Schaffner salutiert militärisch.

Er weiß: das zieht bei den Grünschnäbeln. Sie bilden sich darauf was ein.

Und wenn sich Grünschnäbel geschmeichelt fühlen, geben sie Trinkgelder.

Er ist Menschenkenner und hat sich nicht getäuscht.

Der junge Herr mit der großen Lausallee gibt fünf Pfennige.

Er sieht dabei den Schaffner nicht an; er sieht gleichgültig ins Leere; er zeigt, daß er dem Geschenke keine Bedeutung beimißt. Der Schaffner salutiert wieder.

Wumm! Prr!

Der Wagen hält.

»Deonsplatz!« schreit der Schaffner.

Heißt eigentlich Odeonsplatz.

Eine Frau, die ein großes Federbett trägt, schiebt sich in den Wagen. Ein Sitzplatz ist noch frei.

Die Frau zwängt sich zwischen zwei Herren. Sie stößt dem einen den Zylinder vom Kopfe.

Das ärgert den Herrn. Er klemmt den Zwicker fester auf die Nase und blickt strafend auf das Weib.

»Aber erlauben Sie!« sagt er.

–?!–

»Aber erlauben Sie, mit einem solchen Bett!«

Die Leute im Wagen werden aufmerksam.

Der Mann scheint ein Norddeutscher zu sein; der Sprache nach zu schließen. Ein besserer Herr, der Kleidung nach zu schließen.

Was fällt ihm ein, die arme Frau aus dem Volke zu beleidigen?

9

Ein dicker Mann, dessen grünen Hut ein Gemsbart ziert, verleiht der allgemeinen Stimmung Ausdruck.

»Warum soll denn dös arme Weiberl net da herin sitzen? Soll's vielleicht draußen bleib'n und frier'n? Bloß weil's dem nobligen Herrn net recht is? Wenn man so noblig is, fahrt ma halt mit da Droschken!«

Der dicke Mann ist erregt. Der Gemsbart auf seinem Hute zittert.

Einige Passagiere nicken ihm beifällig zu; andere murmeln ihre Zustimmung. Ein Arbeiter sagt: »Überhaupt is de Tramway für an jed'n da. Net wahr? Und dera Frau ihr Zehnerl is vielleicht g'rad so guat, net wahr, als wia dem Herrn sei Zehnerl.«

Die Frau mit dem Bett sieht recht gekränkt aus. Sie schweigt; sie will nicht reden; sie weiß schon, daß arme Leute immer unterdrückt werden.

Sie schnupft ein paarmal auf und setzt sich zurecht. Dabei fährt sie mit dem Bette ihrem anderen Nachbarn ins Gesicht.

Der stößt das Bett unsanft weg und redet in soliden Baßtönen: »Sie, mit Eahnan dreckigen Bett brauchen S' mir fei 's Maul net abwisch'n! Glauben S' vielleicht, Sie müassen's mir unta d' Nasen halt'n, weil S' as jetzt aus 'm Versatzamt g'holt hamm?«

Die Passagiere horchen auf.

Da ist noch einer, der die Frau aus dem Volke beleidigt; aber, wie es scheint, ein süddeutscher Landsmann.

Die Stimmung richtet sich nicht gegen ihn. Übrigens sieht er so aus, als wenn ihm das gleichgültig sein könnte.

Er hat etwas Gesundes an sich, etwas Robustes, Hinausschmeißerisches.

Er imponiert sogar dem Herrn mit dem grünen Hute.

Und dann, alle haben es gesehen:

Die Frau ist ihm wirklich mit dem Federbette über das Gesicht gefahren. So etwas tut man nicht. Der Mann selbst ist noch nicht fertig mit seiner Entrüstung. Er wirft einen sehr unfreundlichen Blick auf die Frau aus dem Volke und einen sehr verächtlichen Blick auf das Bett.

Er sagt: »Überhaupt is dös a Frechheit gegen die Leut', mit so an Bett do rei'geh'. Wer woaß denn, wer in dem Bett g'leg'n is? Vielleicht a Kranker; und mir fahren S' ins G'sicht damit! Sie ausg'schamte Person!« Einige murmeln beifällig.

Der Mann mit dem grünen Hute gerät wieder in Zorn.

Er sagt: »Der Herr hat ganz recht. Mit so an Bett geht ma net in a Tramway. Da kunnten ja mir alle o'g'steckt wer'n. Heuntzutag, wo's so viel Bazüllen gibt!«

Der Gemsbart auf seinem Hute zittert.

Alle Passagiere sind jetzt wütend über die Unverschämtheit der Frau.

Man ruft den Schaffner.

»De muaß außi!« sagt der Mann mit dem Gemsbart, »und überhaupts, wia könna denn Sie de Frau da einaschiab'n? Muaß ma si vielleicht dös g'fallen lassen bei der Tramway? Daß de Bazüllen im Wag'n umanandfliag'n?«

Der Schaffner trifft die Entscheidung, daß die Frau sich auf die vordere Plattform stellen muß. Sie verläßt ihren Platz und geht hinaus.

»Dös war amal a freche Person!« sagt der Mann mit dem Gemsbart.

Der Herr mit dem Zwicker meint: »Eigentlich war sie ganz anständig. Nur mit dem Bette . . .«

»Was?!« schreit sein robuster Nachbar. »Sie woll'n vielleicht dös Weibsbild in Schutz nehma? Gengan S' außi dazua, wann's Eahna so guat g'fallt!«

Alle murmeln beifällig.

Und der Arbeiter sagt: »Da siecht ma halt wieda de Preißen!«

Ein kalter Wintertag.

Die Passagiere des Straßenbahnwagens hauchen große Nebelwolken vor sich hin. Die Fenster sind mit Eisblumen geziert, und wenn der Schaffner die Türe öffnet, zieht jeder die Füße an; am Boden macht sich der kalte Luftstrom zuerst bemerklich. Die Passagiere frieren, nur wenige sind durch warme Kleidungen geschützt, denn der Wagen fährt durch eine ärmliche Vorstadt.

Da kommt ein Herr in den Wagen; er trägt einen pelzgefütterten Überrock, eine Pelzmütze, dicke Handschuhe.

Er setzt sich, ohne seiner Umgebung einen Blick zu schenken, zieht eine Zeitung aus der Tasche und liest.

Die anderen Passagiere mustern ihn; das heißt seine untere Partie. Die obere ist hinter der Zeitung versteckt.

Die größte Aufmerksamkeit schenkt ihm ein behäbiger Mann, der ihm gerade gegenübersitzt.

Er biegt sich nach links und rechts, um hinter die Zeitung zu schauen. Es geht nicht.

Er schiebt mit der Krücke seines Stockes das hemmende Papier weg und fragt in gemütlichem Tone:

»Sie, Herr Nachbar, wissen Sie, aus welchan Pelz Eahna Haub'n is?«

Der Herr zieht die Zeitung unwillig an sich.

»Lassen Sie mich doch in Ruhe!«

»Nix für ungut!« sagt der Behäbige.

Nach einer Weile klopft er mit seinem Stocke an die Zeitung, die der Herr noch immer vor sich hinhält.

»Sie, Herr Nachbar!«

»Waßß denn?!«

»Sie, dös is fei a Biberpelz, Eahna Haub'n da.«

»So lassen Sie mich doch endlich meine Zeitung lesen!«

»Nix für ungut!« sagt der Mann und wendet sich an die anderen Passagiere.

»Ja, dös is a Biberpelz, de Haub'n. Dös is a schön's Trag'n und kost' a schön's Geld, aba ma hat was, und es is an oanmalige Anschaffung. De Haub'n, sag' i Eahna, de trag'n no amal de Kinder von dem Herrn. De is net zum Umbringa. Freili, billig is er net, so a Biberpelz!«

Die Passagiere beugen sich vor. Sie wollen auch die Pelzmütze sehen.

Aber man sieht nichts von ihr; der Herr hat sich voll Unwillen in seine Zeitung eingewickelt.

Da wird sie ihm wieder weggezogen. Von dem behäbigen Manne, mit der Stockkrücke.

»Sie, Herr Nachbar . . .«

»Ja, was erlauben Sie sich denn . . .?!«

»Herr Nachbar, was hat jetzt de Haub'n eigentlich gekostet?«

Der Herr gibt keine Antwort.

Wütend steht er auf, geht hinaus und schlägt die Türe mit Geräusch zu.

Der Behäbige deutet mit dem Stock auf den leeren Platz und sagt: »Der Biberpelz, den wo dieser Herr hat, der wo jetzt hinaus is, der hat ganz g'wiß seine zwanz'g Markln kost'; wenn er net teurer war!«

Der alte Professor Spengler fährt jeden Morgen gegen acht Uhr vom großen Wirt in Schwabing bis zur Universität.

Er fällt auf durch seine ehrwürdige Erscheinung; lange, weiße Locken hängen ihm auf die Schultern, und er geht gebückt unter der Last der Jahre.

Ein Herr, der auf der Plattform steht, beobachtet ihn längere Zeit durch das Fenster.

Er wendet sich an den Schaffner.

»Wer ist denn eigentlich der alte Herr? Den habe ich schon öfter gesehen.«

»Der? Den kenna Sie nöt?«

»Nein.«

»Dös is do unsa Professa Spengler.«

»So? so? Spengler. M–hm.«

»Professa der Weltgeschüchte«, ergänzt der Schaffner und schüttet eine Prise Schnupftabak auf den Daumen.

»Mhm!« macht der Herr. »So, so.«

Der Schaffner hat den Tabak aufgeschnupft und schaut den Herrn vorwurfsvoll an.

»Den sollten S' aba scho kenna!« sagt er. »Der hat vier solchene Büacha g'schrieb'n.«

Er zeigt mit den Händen, wie dick die Bücher sind.

»So . . . so?«

»Lauter Weltgeschüchte!«

»Ich bin nicht von hier«, sagt der Herr und sieht jetzt mit sichtlichem Respekte auf den Professor.

»Ah so! Nacha is 's was anders, wenn Sie net von hier san«, erwidert der Schaffner.

Er öffnet die Türe.

»Universität!«

Professor Spengler steigt ab. Der Schaffner ist ihm behilflich; er gibt acht, daß der alte Herr auf dem glatten Asphalt gut zu stehen kommt. Dann klopft er ihm wohlwollend auf die Schulter. »Soo, Herr Professa! Nur net gar z' fleißig!«

Er pfeift, und es geht weiter.

Der Schaffner wendet sich nochmal an den Herrn:

»Alle Tag, punkt acht Uhr, fahrt dös alte Mannderl auf d' Universität. Nix wia lauta Weltgeschüchte!«

In *Berlin*. Der Straßenwagen fährt durch den Tiergarten. Seitab werden Bäume gefällt, und es ist ein sonderbarer Anblick, mitten in der Großstadt Waldarbeit zu sehen.

Der Schaffner wendet sich an einen Herrn, der Ähnlichkeit mit dem Kaiser hat. Die man in Norddeutschland so häufig trifft. Starkes Kinn. Habyschnurrbart.

Der Schaffner sagt: »Das geht nun schon so vier Wochen.«

Er deutet auf die Holzarbeiter.

Der Doppelgänger Kaiser Wilhelms schweigt.

»Wenn sie nur nich den ganzen Tiergarten umschlagen!« sagt der Schaffner.

Keine Antwort.

Der Schaffner versucht es noch einmal.

»Den ganzen Tiergarten! Es wär' doch jammerschade!«

Jetzt blickt ihn der Doppelgänger Kaiser Wilhelms an; strenge und abweisend.

Und er sagt:

»Ich habe nicht die Absicht, mich mit Ihnen in eine Konversation einzulassen.«

Die Ludwigstraße

Eine schöne Straße, die Ludwigstraße in München. Mein Freund, der Bürgermeister, sagt, sie hätte einen monumentalen Charakter.

Südlich die Feldherrnhalle. Die Standbilder darin sind verdeckt durch zwei dicke Flaggenstangen. Mein Freund, der Bürgermeister, sagt, in Venedig hätten sie die nämlichen.

Weiter nördlich ein Rangierbahnhof. Belebt die Gegend großartig. Ein Motorwagen kommt an, ein Akkumulatorwagen fährt ab. Schaffner stürzen heraus, schreien, pfeifen, reißen eine Stange herum, koppeln die Wägen an. Der erste Führer läutet, der zweite läutet, alle Schaffner pfeifen. Der Zug fährt. Ein andrer kommt. Der Akkumulatorwagen kommt an. Ein Motorwagen fährt ab. Wie gesagt, sehr lebhaft. Mein Freund, der Bürgermeister, sagt, das Muster zu dem Rangierbahnhof hätte er nirgends gesehen. Ist Original. Weiter nördlich die eigentliche Ludwigstraße. Wie ein Lineal. Keine Unregelmäßigkeiten, keine Bäume; nur Fenster.

Bei schönem Wetter ist immer die Schattenseite belebt; auf der Sonnenseite laufen die Hunde. Bei Regen ist die Straße breiig. Unangenehme Sache.

Voriges Jahr passierte ein Unglück. Zwei Schulkinder versanken. Erstickten beide. Gab Anlaß zu Zeitungslärm und zwei Magistratssitzungen. Antrag auf Neupflasterung abgelehnt mit Hinblick auf den monumentalen Charakter der Straße.

Vorfall sei wohl bedauerlich, – allein, hätten sie zum Beispiel auf der neuen Brücke während des Einsturzes gestanden, wären sie auch tot. Dieselbe Sache. Übrigens tatsächlicher Überfluß an Schulkindern.

Heuer wiederholte Kalamität. Die Frau Bürgermeister überschreitet die Straße. Verliert beide Stiefel. Mußte in den Strümpfen heimgefahren werden.

Neue Magistratssitzung. Antrag auf Asphaltierung soll Aussicht haben.

Ende Mai komme ich an das Siegestor. Mein Freund macht mich auf einen Mann aufmerksam. Steht mitten in der Straße und zieht den Rock aus. Schaut links und rechts; kann den Rock nicht aufhängen. Kein Nagel im Siegestor eingeschlagen. Geht auf die andre Seite und hängt ihn an den Gartenzaun. Stellt sich wieder in die Straße neben einen Schubkarren. Holt eine Schaufel und Hacke heraus und legt sie sorgfältig auf den Boden.

Greift in die Hosentaschen und sucht etwas. Schüttelt ärgerlich den Kopf und geht wieder an den Gartenzaun. Zieht aus dem Rock eine kleine Flasche und hält sie gegen die Sonne. Zieht langsam den Stöpsel heraus und schaut wieder durch. Klopft damit auf den Handrücken, bis Tabak kommt. Schnupft. Steckt die Flasche ein und kommt wieder zu dem Schubkarren. Setzt sich darauf. Merkwürdiger Kerl! Was will er mitten in der Straße? Mein Freund weiß es nicht.

Der Mensch auf dem Schubkarren sucht wieder in seinen Taschen. Sieht uns stehen.

»Pst!« ruft er. »Pst! Sie!«

»Ja«, sage ich, »was gibt's?«

Er kommt auf uns zu. Rückt den Hut und fragt:

»Sie, Herr Nachbar, hamm S' a Schnellfeuer?«

»Zündholz?« – Habe ich nicht. Gebe ihm meine Zigarre. Er brennt seinen Stummel damit an.

Bläst den Rauch hinaus und sagt:

»Schön's Wetter. Wenn's so bleibt.«

»Jawoll. Sehr hübsch.«

»Aba warm.«

»Mhm, ja.«

Er gibt mir die Zigarre zurück. Schaut mich an. Schaut meinen Freund an.

»Die Herren san g'wiß fremd hier?«

»Nein.«

»Net? So? I ho mir denkt, Sie san fremd. Is schad, daß S'
net fremd san.«

»Warum?«

»I hätt' Eahna die Gegend erklärt für a Maß Bier.«

»Kennen alles selbst. Sind Münchner.«

»So? Münchna? Sie, da san ma ja Landsleut! Vielleicht spitzen S' a Maß?«

Gebe ihm zwanzig Pfennig.

Der Mensch dankt und sagt, er wolle sich Bier kaufen. Müsse
Kraft haben. Viel zu arbeiten. Schweres Stück zu machen.

Frage ihn, was er vorhabe.

Auftrag vom Magistrat. Einen Mordsauftrag. Müsse die
Ludwigstraße umgraben. Ganz umgraben. Werde asphaltiert.
Der Kerl geht kopfschüttelnd weg. Holt seinen Rock auf der
andern Seite. Zieht ihn an. Schreit nochmal herüber: »Dös gibt
a Mordsarbeit.«

Geht ins Wirtshaus.

Der Kohlenwagen

Ein großes, schwer beladenes Kohlenfuhrwerk fuhr auf dem
Tramwaygeleise, als eben ein Wagen der elektrischen Straßen-
bahn daher kam.

Der Kutscher des Kohlenfuhrwerks sagte: »Wüst, ahö,
wüst«, und fuhr so langsam aus dem Geleise, als wäre die elek-
trische Bahn nur eine Straßenwalze.

Er bewerkstelligte auch, daß er gerade noch mit dem hinteren
Rade an den Wagen stieß. Das Rad brach, und der Kohlenwagen senkte sich krachend mitten in das Geleise.

»Du Rammel, du g'scheerter, kannst net nausfahren?« schrie
der Kondukteur.

»Jetzt nimma, du Rindviech!« antwortete der Kutscher. Und
er hatte ganz recht, denn eine Kohlenfracht kann man nicht auf
drei Rädern wegbringen.

Der Kondukteur legte dem Fuhrmanne noch einige Fragen
vor. Ob er glaube, daß er das nächstemal aufpassen wolle; ob
er vielleicht *nicht* aufpassen wolle, und ob noch ein solcher
dummer Kerl Fuhrmann sei.

Dies alles brachte den Kutscher nicht aus seiner Ruhe.

Er stieg ab und stellte fest, daß das Rad vollständig kaputt sei. Und da er infolge dieser Tatsache die Meinung gewann, daß sein Aufenthalt von längerer Dauer sein werde, zog er die Tabakpfeife aus der Tasche und begann zu rauchen.

Erst jetzt faßte er den Kondukteur näher ins Auge, und als er ihn genug besichtigt hatte, erklärte er dem sich ansammelnden Publikum, daß er *nicht* aufpasse, weder auf die Tramway, noch auf den Kondukteur.

Und dann lud er die Aktiengesellschaft, sowie deren sämtliche Bedienstete zu einer intimen Würdigung seiner Rückseite ein. In diesem Augenblick drängte sich ein Schutzmann durch die Menge und stellte sich vor den Wagen hin.

»Was gibt's da? Was ist hier los?« fragte er.

»A hinters Radl is los«, sagte der Kutscher.

»So? Das wer'n wir gleich haben«, erwiderte der Schutzmann, und ich glaubte, daß er ein Mittel angeben wolle, wie man dem umgestürzten Wagen am schnellsten auf die Räder hilft.

Der Schutzmann zog ein dickes Buch aus der Brusttasche, öffnete es und nahm einen Bleistift heraus, der an dem Deckel steckte.

Während er ihn spitzte, kam wieder ein elektrischer Wagen angefahren. Der Lenker desselben machte großen Lärm, als er nicht vorwärts konnte, und der Schaffner blies heftig in sein silbernes Pfeifchen.

»Was ist denn das für ein unverschämtes Gefeife? Wollen S' vielleicht aufhören zu feifen?« fragte der Schutzmann und blickte den Schaffner durchdringend an, während er den Bleistift mit der Zunge naß machte.

»So«, sagte er dann, indem er sich wieder zu dem Kutscher wandte, »jetzt sagen Sie mir, wie Sie heißen tun.«

»Matthias Küchelbacher.«

»Mat–thi–as Kü–chel–bacher. Wo tun Sie geboren sein?«

»Han?«

»Wo Sie geboren sein tun?«

»Z' Lauterbach.«

»So? In Lau–ter–bach. Glauben S' vielleicht, es gibt bloß *ein* Lauterbach? Wollen S' vielleicht sagen, wo das Höft ist? Tun S' ein bissel genauer sein, Sie!«

Inzwischen hatte sich die Menge, welche den Wagen umstand, immer mehr vergrößert.

Ein Herr in der vordersten Reihe untersuchte mit sachverständiger Miene den Schaden. Er bückte sich und sah den Wagen von unten an; dann ging er vor und faßte die lange Seite scharf ins Auge, und dann bückte er sich wieder und klopfte mit seinem Stocke auf die drei ganzen Räder. Und dann sagte er, es sei bloß eines kaputt, und wenn es wieder ganz wäre, könne man sofort wegfahren.

Die Umstehenden gaben ihm recht. Ein Arbeiter sagte, man müsse versuchen, ob man den Wagen nicht wegschieben könne. Er spuckte in die Hände und stellte sich an das hintere Ende des Wagens. Dann sagte er: »Öh ruck! öh ruck!« und schüttelte den Wagen, und spuckte immer wieder in seine Hände, bis ihn die Schutzleute zurücktrieben. Diese entwickelten jetzt eine große Tätigkeit. Sie gaben acht, daß die Zuschauer sich anständig benahmen und in einer geraden Linie standen. Das war nicht leicht. Wenn sie oben fertig waren, drängten unten die Neugierigen wieder vor, und deshalb liefen sie hin und her und wurden ganz atemlos dabei.

Noch dazu mußten sie acht geben, daß jeder Schutzmann, der hinzukam, seinen Platz erhielt; wenn ein Vorgesetzter erschien, mußten sie ihm alles erzählen, und wenn ein neuer Tramwaywagen daherfuhr, mußten sie dem Kondukteur einschärfen, daß er nicht durch die anderen Wagen durchfahren dürfe.

Ich weiß nicht, wie die Sache ausgegangen ist, weil ich nach zwei Stunden zum Abendessen gehen mußte. Aber ich las am nächsten Tage mit Befriedigung in den Blättern, daß der Polizeidirektor, der Minister des Innern und unsere zwei Bürgermeister am Platze erschienen waren.

Der Münchner im Himmel

Alois Hingerl, Nr. 172, Dienstmann in München, besorgte einen Auftrag mit solcher Hast, daß er vom Schlage gerührt zu Boden fiel und starb.

Zwei Engel zogen ihn mit vieler Mühe in den Himmel, wo er von St. Petrus aufgenommen wurde. Der Apostel gab ihm eine Harfe und machte ihn mit der himmlischen Hausordnung bekannt. Von acht Uhr früh bis zwölf Uhr mittags »frohlokken«, und von zwölf Uhr mittags bis acht Uhr abends »Ho-

sianna singen«. – »Ja, wann kriagt ma nacha was z'trink'n?«
fragte Alois. – »Sie werden Ihr Manna schon bekommen«, sagte
Petrus.

»Auweh!« dachte der neue Engel Aloisius, »dös werd schö
fad!« In diesem Momente sah er einen roten Radler, und der
alte Zorn erwachte in ihm. »Du Lausbua, du mistiga!« schrie
er, »kemmt's ös do rauf aa?« Und er versetzte ihm einige Hiebe
mit dem ärarischen Himmelsinstrument.

Dann setzte er sich aber, wie es ihm befohlen war, auf eine
Wolke und begann zu frohlocken:
»Ha–lä–lä–lä–lu–u–hu–hiah!«...

Ein ganz vergeistigter Heiliger schwebte an ihm vorüber. –
»Sie! Herr Nachbar! Herr Nachbar!« schrie Aloisius, »hamm
Sie vielleicht an Schmaizla bei Eahna?« Dieser lispelte nur
»Hosianna!« und flog weiter.

»Ja, was is denn dös für a Hanswurscht?« rief Aloisius.
»Nacha hamm S' halt koan Schmaizla, Sie Engel, Sie boaniga!
Sie ausg'schamta!« Dann fing er wieder sehr zornig zu singen
an: »Ha–ha–lä–lä–lu–u–uh – – Himmi – Herrgott – Erdäpfi –
Saggerament – – lu – uuu – iah!«

Er schrie so, daß der liebe Gott von seinem Mittagsschlafe
erwachte und ganz erstaunt fragte: »Was ist denn da für ein
Lümmel heroben?«

Sogleich ließ er Petrus kommen und stellte ihn zur Rede.
»Horchen Sie doch!« sagte er. Sie hörten wieder den Aloisius
singen: »Ha – aaaaah – läh – – Himmi – Himmi – Herrgott –
Saggerament – uuuuuh – iah!«...

Petrus führte sogleich den Alois Hingerl vor den lieben
Gott, und dieser sprach: »Aha! Ein Münchner! Nu natürlich!
Ja, sagen Sie einmal, warum plärren denn Sie so unanstän-
dig?«

Alois war aber recht ungnädig, und er war einmal im
Schimpfen drin. »Ja, was glaab'n denn Sie?« sagte er. »Weil
Sie der liabe Good san, müaßt i singa, wia 'r a Zeiserl, an ganz'n
Tag, und z'trinka kriagat ma gar nix! A Manna, hat der ander
g'sagt, kriag i! A Manna! Da balst ma net gehst mit dein
Manna! Überhaupts sing i nimma!«

»Petrus«, sagte der liebe Gott, »mit dem können wir da heroben nichts anfangen, für den habe ich eine andere Aufgabe.
Er muß meine göttlichen Ratschlüsse der bayrischen Regierung
überbringen; da kommt er jede Woche ein paarmal nach
München.«

Des war Aloisius sehr froh. Und er bekam auch gleich einen Ratschluß für den Kultusminister Wehner zu besorgen und flog ab.

Allein, nach seiner alten Gewohnheit ging er mit dem Brief zuerst ins Hofbräuhaus, wo er noch sitzt. Herr von Wehner wartet heute noch vergeblich auf die göttliche Eingebung.

Amalie Mettenleitner

Wenn sie den Mund aufmachte, bemerkte man drei Goldplomben. Und da sie dies wußte, vermied sie es, zu lächeln. Durch den Kampf mit den Lachmuskeln erhielten ihre Züge einen herben Ausdruck, und sie kam schon frühzeitig in den Ruf, weit über ihre Jahre hinaus ernst und verständig zu sein. Anfänglich gab sie wenig darauf; aber als sie das achtundzwanzigste Lebensjahr zurückgelegt hatte, fand sie, wie viele ihrer Mitschwestern, »daß Klugheit besser sei, denn Schönheit«.

Übrigens hieß sie Amalie Mettenleitner und war die Tochter des verstorbenen Kassierers Johann Mettenleitner aus München.

Die Mädchenreife unserer Amalie fiel in die Zeit der Frauenbewegung.

Da vielleicht einige der geneigten Leser den Begriff derselben nicht kennen, will ich ihn kurz erklären.

Die Frauenbewegung ist die Bewegung derjenigen unverheirateten Frauenzimmer, welche nichts Besseres zu tun haben.

Sie geht hervor aus dem Weltschmerze der Grete, welche keinen Hans hat, und richtet sich insbesondere auf das »Recht der Frau«, welches da anfängt, wo das »Recht auf den Mann« schwindet.

Amalie Mettenleitner stürzte sich mit Eifer in die Bewegung. Sie las alle Broschüren, welche über diese Sache geschrieben wurden, und als sie auf diese Weise genügendes Material gesammelt hatte, trat sie selbst in den Federkrieg ein.

Sie war es, welche in einer Streitschrift den berühmten Göttinger Professor Maier so gründlich abführte.

Der treffliche, aber etwas weiberfeindliche Gelehrte behauptete, daß das Gehirn eines Weibes 500 Gramm weniger wiege als das eines Mannes.

Hierdurch, so lehrte er, sei die Minderwertigkeit des weiblichen Verstandes nachgewiesen.

Die Frauenwelt wandte sich heftig gegen diese Theorie; es entbrannte ein erbitterter Zeitungskampf.

Da veröffentlichte unsere Amalie die Entdeckung, daß das Gehirn eines normalen Kalbes noch um 900 Gramm schwerer sei als das Gehirn eines Universitätsprofessors.

Mit diesem Funde war Amalie in die erste Reihe der Kämpferinnen vorgerückt. Ihr Name wurde von allen Frauenrechtlerinnen mit Stolz genannt, sie erhielt Einladungen zu allen Versammlungen und Zweckessen; Bertha von Suttner schrieb ihr einen warmgefühlten Dankbrief, und der bekannte Münchener Nationalökonom Lujo erklärte in einer Arbeiterversammlung feierlich, daß er als Universitätsprofessor ganz besonders von dem Mettenleitnerschen System entzückt sei, um so mehr, als er auf Grund eigener Beobachtungen demselben schon längst auf der Spur gewesen sei.

Der glücklichen Entdeckerin erging es wie so vielen Anfängern, die rasche Erfolge erringen. Sie wurde von dem Strudel fortgerissen; sie fühlte das Bedürfnis, durch neue Leistungen die früheren zu überbieten, sie bohrte sich immer tiefer in Theorien ein, und zuletzt glaubte sie selbst daran.

Die gutmütig veranlagte Amalie Mettenleitner wurde eine fanatische Männerfeindin, eine schlachtenfrohe Rednerin. Ihr war nur wohl im Pulverdampf der Versammlungen. Wenn ihr die Augen der Mitkämpferinnen begeistert entgegenblitzten, wenn die Beifallssalven sie umdonnerten, dann faßte sie ein Rausch der Begeisterung, und die Worte entströmten ihrem Munde wie Gießbäche, welche über die Felsen springen. Dann stand sie hochaufgerichtet da und sprach: »Wie? Was? Die Herren der Schöpfung? Die *Herren?* Neihein! Niemals! Wir sind uns selbst genug und dulden keinen Tyrannen über uns! (Bravo! Bravo!) Geradeaus führt die Bahn in bessere Zeiten, auf lichte Höhen! (Bravo!) Durch! (Hurra!) Volldampf voraus, bis der Feind am Boden liegt! (Huurraa!) Ich, meine Damen, ich beuge meinen Nacken nicht unter das Joch, ich *hasse* die Knechtschaft, ich *hasse* den Mann. (Braavo! Braaavo!)«

»Mir erregt der Anblick eines männlichen Beinkleides schon *Ekel*, tiefen Ekel!« – (Minutenlanger Beifall.)

In ihrer siegreichen Laufbahn wurde Amalie plötzlich durch ein höchst sonderbares Ereignis aufgehalten.

Ihr Zimmernachbar, ein Photograph namens Kaspar Rohrmüller, bezeigte ihr unverhohlene Bewunderung. Als sie einmal in später Nacht wieder aus einer stürmischen Versammlung heimkehrte, fand sie in ihrem Zimmer ein Blumensträußchen; daneben lag ein Zettel mit der Inschrift: »Der großen Vorkämpferin«. Dadurch wurde sie aufmerksam auf den bescheidenen kleinen Mann mit dem großen Kopfe; sie begegnete ihm jetzt häufig. Und jedesmal traf sie ein warmer Strahl aus seinen etwas hervorstehenden Augen. Sie fühlte sich merkwürdig hingezogen. Es wurde ihr bald ein Bedürfnis, ihn zu sehen, – kurz, nach Umlauf eines Jahres gebar sie ein Knäblein, welches in der Taufe den Namen »Kaspar« erhielt.

Wer beschreibt das Erstaunen, den Zorn, die Entrüstung der Frauenrechtlerinnen?

Es war ein Schlag, von dem es kein Erholen gab! Was half es, daß man die Abtrünnige feierlich in Verruf erklärte? Den Sieg der Materie über das Ideal konnte man nicht ungeschehen machen.

Creszenz Mitterwurzer, die Vorsteherin des Vereines, ging zu der einst so verehrten Freundin und machte ihr bittere Vorwürfe.

»Wie konntest du uns das antun? *Du*, zu der wir emporsahen wie zu einer Heiligen? Hast du nicht einstens feierlich erklärt, daß schon der Anblick eines männlichen Beinkleides dich mit Ekel erfülle?«

– – – »Ja, ja!« antwortete Amalie weinend, »aber weißt du, *damals hatte er keines an.*«

Das Aquarium

»Wos is?«

Der Ton klang sehr gereizt, in dem sich der Herr Privatier Radlkoffer an die Köchin wandte. Dabei drehte er nicht einmal den Kopf nach ihr um, sondern schaute in Erwartung auf den bald fälligen Nachmittagskaffee geradeaus auf die Wandtapete, deren Muster ihm bald dieses, bald jenes fratzenhafte Gesicht vortäuschte.

»Wos is?«

»A Herr is drauß'n . . .« – »Wos für a Herr?«

»Ein Jugendfreund, sagt er, is er von Ihnen . . .«

»A Ju–u–gendfreind!«

Eine Fülle von Mißtrauen und Abneigung klang aus der Art, wie Herr Radlkoffer das sagte.

Und er fühlte sich nun so gestört in seinem Behagen, daß er eine Viertelswendung gegen das behäbige Frauenzimmer hin machte und ihm ein sehr verdrießliches Antlitz zeigte.

»Wissen Sie, wos a Jugendfreind ist? Wissen Sie dös? Erschtens, i hab koan, Gott sei Dank, und will koan hamm, und zwoatens, a Jugendfreind is allaweil a Mensch, der was will. Verstengen S' mi? So oana!« Er rieb den rechten Daumen am Zeigefinger. »I kenn de Jugendfreind!«

»Ja aba . . .«

»Wos aba?«

»Ich kann ihn doch net fortschicken . . . er ist ein ganz feiner Herr . . .«

»Fein aa no!«

»Wenn i's Ihna sag und nacha, er is doch überhaupts so auftreten . . .«

»Grüaß di Good, Simmerl! Alte Gamshaut, wia geht's da denn . . .?«

Der Jugendfreund hatte den Bescheid der Köchin nicht abgewartet, sondern drängte sich mit lärmender Herzlichkeit zur Türe herein.

Der Ankömmling, ein breiter Mann, nicht unähnlich seinem Jugendfreunde Radlkoffer, war wohl so gekleidet, daß er einer unerfahrenen Münchner Köchin gefallen konnte, aber ein schärferes Auge konnte an ihm Sorglosigkeiten und Schäden bemerken, die sogleich das Gegenteil von einer gesetzten Existenz verraten.

Schon daß er ein Samtjackett trug, zeigte eine gewisse unbürgerliche Schwunghaftigkeit des Empfindens, und außerdem, Samtjackette kauft man nicht selten bei Tändlern, denen sie leichtsinnige Malergehilfen und Photographen um ein Billiges lassen. Auch fehlte der zweite Knopf von unten, was trotz der flotten Art, in der sich der Flaus über der Brust wölbte, zu bemerken war.

Das Beinkleid, aus einem billigen, aber doch auffällig karierten Stoffe hergestellt, zeigte eine leise Neigung, sich unten aufzufransen.

Die Schuhe aber, diese größten Verräter des menschlichen Charakters, bewiesen vollends, daß der Jugendfreund nicht in streng behüteter Wohlbehäbigkeit dahinlebte. Das Leder zeigte

Sprünge, die Absätze waren sehr stark abgetreten, und es war unschwer zu erraten, daß die Sohlen Löcher hatten. Füge ich hinzu, daß der Mensch einen vorne weit geöffneten, den Adamsapfel frei lassenden Kragen trug, um den sich eine leichtfertig gebundene Lavallièrekrawatte schlang, dann dürfte der Kenner ahnen, daß der Herr sich einem freien Berufe, wie dem des Unterhändlers, Hypothekenvermittlers, Agenten, gewidmet hatte.

Ein kaum bemerkbarer, aber eben doch bemerkbarer Rotweinflecken auf der Hemdenbrust verstärkte diese Mutmaßung, und alles in allem schien der Mann sogleich die Meinung Radlkoffers von Jugendfreundschaft zu bestätigen.

Dieser hatte sich keineswegs lebhaft von seinem Lehnstuhle erhoben und sagte in unsicherem Tone:

»I weiß net, mit wem ich die Ehre habe . . .«

»Jöi Ehre! Da balst net gehst!« rief der joviale Fremde ungestüm aus. »Seit wann bist denn du so g'schwoll'n, alter Bazi? Kennst vielleicht an Wimmer Schorschl nimma?«

»An Wi . . .?«

»Ja! Tua no net a so! An Schorschl von Tittmoning, mit dem's d' auf d' Lumperei ausganga bist! Wia mei Vata no d' Brauerei g'habt hat . . . in da junga Zeit! Wia ma no lusti war'n . . .«

»Ah so, ja . . . der Schorsch . . .«

Die Köchin, welche nun die Bekanntschaft in Fluß geraten sah, entfernte sich höflich knicksend, und Radlkoffer stand jetzt mutterseelenallein der Wiedersehensfreude seines Jugendgespielen gegenüber.

Die weitverbreitete Meinung, daß einer, der mit Wünschen naht, ein bedrücktes Gemüt zeige, jener aber, der zu gewähren hat, sich in weltmännischer Sicherheit bewege, ließ sich hier ganz und gar nicht vertreten.

Denn Radlkoffer zeigte in Sprache und Gebärde Verwirrung und Niedergeschlagenheit, während Wimmer sich immer prächtiger entfaltete und sichtbar die Oberhand hatte.

»No, was machst d' denn allawei?« fragte er so breit und natürlich, als hätte er schon eine Guttat für seinen Freund in der Tasche. »Was machst d' denn allawei? Nix natürli! Privatisieren halt! Net wahr? Coupon schneid'n, recht gut fress'n und schlafa, gel?«

»O mei!« seufzte Radlkoffer, »mit dem Couponschneid'n . . .«

»Nur net laugna! I kenn deine Verhältniss', mei Liaba!«

»Meine . . .?«

»Jawoil Du hockst mitt'n drin im Schmalzhafa, mei Liabal«

»O mei . . .l Heutz'tag . . .«

»Wos nacha? Wos brauchst di du z' kümmern um heutz'tag? Dei Schaar schneid't an Coupon, und firtil Net?«

»Geh, hör auf mit meine Coupon!«

»I höret scho auf, bal i no amal o'fanga derfat! Ha . . . ha . . . ha . . .l«

Wimmer lachte sehr herzlich über seine glückliche Wendung und legte seine Hand liebreich auf die Schulter des immer säuerlicher blickenden Freundes.

»Ja, so geht's!« sagte er, »der oa hat's, und der ander hat's net. Übrigens, daß i net vagiß, gel, mit der Hellerwies'n hab i dir koan schlecht'n Rat net geb'n?«

»Wann hast du mir an Rat geb'n?«

»Geh! Simmerll«

»I siech di do heut 's erstmal seit dreißig Jahr und . . .«

»Geh! Schneid o, alta Fuchs!«

»Is net wahr? Wann hamm mir ins amal g'sehg'n?«

»G'sehg'n! Wer red't denn von g'sehg'n?«

»Wann du sagst, an Rat . . .«

»G'schrieb'n! Net g'sehg'n hab i di, aba g'schrieb'n hab a dal«

»Du – mir?«

»I dir, jawoil Hätt'st du vielleicht mei Kart'n net kriagt...?«

»Auf da Stell soll i tot umfall'n . . .l«

»Jetzt schau mir nur oana so an o'draht'n Spitzbuam ol Sagt er, er hat nix kriagt . . .«

»Hab i aa net!«

»Ha . . . hal« lachte Wimmer, der alles jovial aufzufassen schien, und holte aus der Brusttasche ein dünnes, ziemlich abgegriffenes Notizbuch heraus.

»Was willst d' denn?« fragte Radlkoffer recht unbehaglich.

»Zeit lass'n . . . Zeit lass'n!« beschwichtigte der Freund, netzte den Finger und blätterte ohne Hast in seinem Buche.

»Hamm ma's schol Da steht's! Am sechsundzwanzigsten hujus, dös is also Abril neunzehnhundert . . . wart amal, neunzehnhundertsimmi . . . am sechsundzwanzigsten hujus ge–schrieben – an Simon Radlkoffer . . . betreff . . . Hellerwiese. Selben . . . dös bist also du, net? – selben notifiziert . . . hast d' g'hört? . . . notifiziert betreff Ankaufes betreffender Wiese . . .«

Wimmer sah von seinem Buche weg auf den Jugendfreund hin und blinzelte ihn bedeutungsvollst an.

»Jetza! Hab i di, Manndei, gel? Da stehst d' halt drin!«

»Was geht denn mi dei Büachi o? Du kost ja in dei Büachi neischreib'n, was d' magst! Was pfeif da denn i auf dei Büachi!«

»Oho . . . ho . . .! Nur net glei so grimmi! Du tuast scho, als wenn i um an Schmu kam zu dir. Ma sagt ja bloß, weil's wahr is, net wahr? Koan Schmu will i ja net!«

»No also!« sagte Radlkoffer etwas erleichtert, »aba jetzt sag i's nomal, i hab von dir koa Kart'n und koan Brief und überhaupts nix kriagt, und wennst d' heut net kemma waarst, wisset i überhaupts nix vo dir . . .«

»Ja, so waarst du scho und vergessast dein best'n Freind . . . Aba no . . . bals d'as du sagst, na werd halt am End d' Post mei Kart'n valor'n hamm . . .«

Er blinzelte ihn wiederum vielsagend an und bezeigte damit die ganze Unmöglichkeit einer solchen Annahme und sein gründliches Wissen von der Schlauheit des andern.

»Aba«, fuhr er fort, »an schön Profit muaßt obag'schnitt'n hamm vo dem Bauplatz?«

»Lebt eigentli dei Vata no?« fragte Radlkoffer.

»Mei Vata? Na, der is do scho zehn Jahr tot . . .«

»Zehn Jahr!« wiederholte Radlkoffer fast tiefsinnig, als wäre dieser Umlauf von Zeit recht bedeutsam. »Zehn Jahr! Jetzt da schau her!«

»Es kinnan aa elfi sei«, sagte Wimmer. »Aba sag amal, an schön Profit muaßt do scho obag'schnitt'n hamm . . .«

»Was hot eahm eigentli g'fehlt?«

»Wem?« – »Dein Vata . . .«

»Ah so! No, ja, der Schlag hatt'n halt troffa . . .«

»Da Schlag?«

Radlkoffer fragte so teilnehmend, als wäre hier eine äußerst seltene Anhäufung von Unglück zu bedauern.

»G'stroaft, un drei Tag danach tot g'wen«, sagte Wimmer hastig, um aufs rechte Thema zu kommen. »Gel, an Quadratschuah hast du um zwoa Mark vierzgi kafft . . .?«

»Vo was?«

»Jessas, fragt der! Vo da Hellerwies'n halt!«

»Jetzt kimmst d' scho wieda mit dem Glump!«

»Ma red halt . . . net? Gel, zwoa Mark vierzgi?«

»Was woaß denn i!« sagte Radlkoffer verdrießlich. »Dös hab i scho lang vagess'n. Gott sei Dank! Ma hat a so nix, als wia lauta Verlust.«

»Valust!« Wimmer zog sich einen Stuhl her und setzte sich,

um sich gründlich über diesen gewaltigen Spaß auszulachen.

»An Valust hat er! Ho ... ho ... ho ... ho! Jetzt schaug da grad so an Spitzbuamhäuptling o! Valust! Ho... ho ... ho...«

»Dös ist gar net zum Lacha.«

»Net?« fragte Wimmer mit nassen Augen. »Is eppa zun Woana? Valust! Ho... ho! Na, paß auf, Simmerl, red amal g'scheit, du host'n vakafft um fünf Mark sechzgi, dös san drei Mark zwanzgi für'n Quadratschuah ...«

»I mag nix mehr hör'n vo dem ...«

»Tuat's da weh?«

»Weil i überhaupts koa Gedächtnis hab für so was, und überhaupts, weil i froh bin, wann i nix hör davo ...«

»Vo dem Valust ...?«

»Jetzt vazähl amal! Hat dei Vata ...«

»Der is eig'rab'n, vastehst? Da Herr schenk eahm de ewig Ruah, und ko'st as eahm aa lass'n ... jetzt paß auf, i muaß da was sag'n ...«

»Was muaßt du sag'n?«

»An Eröffnung will i dir macha ... vastehst? Hock di no amal hi ...«

»I steh liaba«, sagte Radlkoffer.

»Wia's d' willst ... jetzt paß auf ... sag'n ma, du hast am Quadratschuah drei Mark zwanzgi profitiert ...«

»Geh!«

»No ja, angenommen. Es ko ja aa mehra sei, aba mir sag'n drei Mark zwanzgi ... und fufzgtausend Quadratschuah san's g'wen ...«

»Herrschaft!«

»Es tuat da grad woi, Simmerl, wennst an solchan Profit no-mal übaschlagst ... san hundertfufzgtausend ... wart amal ... zwanzg Pfennig mal ... san ... san ...«

»Jetzt sag da'r i was ... Wimmer!«

»Was sagst d' ma?«

»Es war ma liab und angenehm, daß d' mi nach so langa Zeit wieda aufg'suacht hast, aba du derfst ma's net übinehma, i muaß heut ...«

»Nix!« sagte Wimmer mit einer Bestimmtheit, gegen die es keinen Widerspruch gab. »Nix muaßtd ', mei Liaba, als wia dös hör'n, was da i sag.«

»Aba i muaß ...«

»Na, sag i, da bleibst und machst d' Ohrwascheln auf ... es is lauta Schön's, was d' z' hör'n kriagst, und es is dei Profit ...«

»I will koan Profit . . .«

»Bst! Ruhe und staad sei! Also paß auf . . . Zwanzg Pfenning hamma g'sagt mal fufzgi . . . san nomal zehntausend Mark . . . also siehgst . . . wia r' a da g'sagt hab, koan Schmu will i durchaus net hamm, scho weg'n da Freundschaft net, obwohl daß i dir den Kauf varrat'n hab . . .«

»Net wahr is!«

»Sag'n ma: varrat'n hätt für den Fall, daß de Post net ausnahmsweis' g'rad de Kart'n valor'n hätt . . . aba, wia g'sagt, bei an Jugendfreind nimmt ma koa Schmu . . . aber oa G'fälligkeit is de ander wert . . . dös muaßt d' do selm sag'n . . .?«

»I sag' gar nix . . .«

»Weil's selbstvaständli is, net wahr . . . Also Simmerl, siehgst . . . i hab a G'schäft in Aussicht . . . a G'schäft, sag a da . . . im Jahr achttausad Mark Einkomma . . . vastehst . . . Einkomma . . .«

»I vasteh di scho . . .«

»Die Sache ist . . .« Wimmer sprach bereits hochdeutsch, als er dieses anscheinend oft und auch mit Gebildeten berührte Thema vortrug . . . »Die Sache ist nämlich folgendermaßen. Von absolut sicherer Seite, die wo einen Zweifel auf sich nicht zuläßt, wo also jede Mutmaßung absolut und durchaus ausgeschlossen erscheint, von dieser Seite also habe ich unterderhand erfahren, mit strengster Diskretion . . . verstehst, Simmerl . . .?«

Simmerl verstand ihn durchaus und sah, so ängstlich er sich umsah, kein Entrinnen . . .

Es gab eine lange Geschichte, es gab eine zusammengeschwindelte Geschichte, und am Schluß einen Pumpversuch, und wenn man nein sagte, fing die Geschichte von vorne an und hörte nicht mehr auf, und wenn man ja sagte, war das Geld hin . . . und es gab kein . . .

Simmerls Blick fiel auf sein Aquarium, in welchem sich blitzende Goldfische hinaufschnellten und wieder herunterschossen und so fröhlich waren, wie harmlose Geschöpfe, die nie jemand anpumpt . . .

»Also von dieser durchaus authentischen Seite, die wo auch unterderhand sich jederzeit Informationen verschaffen kann und gewissermaßen selbst die Hand dabei im Spiel hat . . . verstehst, Simmerl . . .?«

Ein rettender Gedanke kam über den Jugendfreund. Er stellte sich mit dem Rücken gegen das Aquarium, breitbeinig, und heuchelte plötzlich Interesse.

»Der wo also selber . . .?« fragte er.

»Der wo selbst die Hand im Spiele hat und auch von dritter Seite . . .«

Radlkoffer tauchte an, – ein Klatsch und ein Klirren, das Aquarium war umgefallen, die Fische zappelten . . .

»Jessas, meine Fisch! Resi! Resi! Jessas, de wern ja allsamt hi! Resi!«

»Tua's halt g'schwind in d' Waschschüssel! Also paß auf . . .«

»Dös is wahr! In d' Waschschüssel . . .«

Radlkoffer stürzte hinaus . . . schlug die Tür zu . . . und schrie der Resi, die eiligst aus der Küche kam:

»An Haf'n mit Wasser! Da tuast d' Goldfisch nei! D' Goldfisch lieg'n am Bod'n! Und . . .« Radlkoffer flüsterte das mit blitzenden Augen, ». . . dem Kerl da drin, dem feina Herrn da drin sagst, i bin furt, um a neu's Aquarium . . . und schmeißt 'n naus . . . und no mal, wenn a Jugendfreind rei'lass'n werd . . . nacha!! . . .«

Beinahe

Eine Unglücksgeschichte

Ein Schrei des Entsetzens gellte durch die heiter promenierende Gesellschaft, die in Ischl die schönen Sommertage genoß.

Die Straße herunter raste ein Einspännerwagen; das Pferd war scheu geworden und galoppierte mit wild flatternder Mähne einher; der Wagen wurde rechts geschleudert, links geschleudert. Da: ein Prellstein!

Ach!

Mizzi Mia kreischte: »Um Gottes wülln!«

Mia May krallte die Finger der rechten Hand schmerzend in den Arm Sally Krotoschiners ein. »Sally . . . ich schtirb . . . Mir werd zwarerla . . .«

Die Kommerzialrätin Mizzi Neuburger schwenkte ihren roten Sonnenschirm. »Rättet die Unglücklichen! Rättet sie!«

Der Prellstein!

»Himmi . . . Herrgotts . . . ramasuri . . . überanand!« fluchte der Kutscher . . . dessen Steyrerhut mit einem mächtigen Gemsbart verziert war . . .

Krach!!

Da lag der Wagen ... gellende Schreie ertönten ...

Ein dicker Mann lag im Straßenstaube, ein Mädchen aus dem Volk lag auf ihm, zappelte mit den Beinen und zeigte ihre runden, kräftigen Waden.

Das Pferd stand zitternd, der Kutscher hielt es vorne beim Kopfe und fluchte.

»Schindermistviech ... öllöndiges ... Rabenviech ... miserablichtes!«

Die Gesellschaft lief hinzu ... die Damen mit gerafften Röcken ... bleich ... aufgeregt ... die Herren mit ernsten, düsteren Mienen.

»Is wos bassiert? Ich bidd Ihnen! Aber jo ... der Herr soll beide Arme ... das oarme Mädel bluddet ... der Herr is bludüberströmt ... er muß beide Unterschenkel gebrochen haben ... Sind sie dod? ... Einen Oarzt! ... Ich kann kein Blut sehen – ich werd brechen gehen.« So schrie es durcheinander. Sally Krotoschiner drängte sich durch.

»Bidde den Oarzt vorzulassen ... Herr Dokta ... rasch ... rasch!« Sally Krotoschiner, junger Arzt aus Wien, V. Bezirk ... Hamburger Gasse ... 3. Stock ... Türe 17 ... stand gefaßt und der Situation gewachsen neben den Verunglückten. Das Mädchen aus dem Volke war schon wieder auf den Beinen und strich den Rock über die Waden herunter ... Der dicke Mann erhob sich langsam, seine Hände waren aufgeschürft und bluteten ... Der linke Fuß war verstaucht ...

Sally strich ihm mit der Hand über den Kopf.

»Leichte Kantusian ... die Hand? Bidde ... Obschierfung der Epidermis ... Der Fuß? ... Schwellung ... aber die Knochen der proximalen wie der distalen Reihe sind unverletzt ... Sie wern Umschläge mochen ...«

Das Publikum bemerkte wohl, wie ruhig und sachverständig Sally Krotoschiner vorging.

Dem Mäderl fehlte nichts ... oder doch ... das Handerl ... ein bisserl abgeschürft ... essigsaure Tonerde.

Noch gut abgegangen!

Um Gattes wülln! Wann das Pferd in die Menge hineingerast wäre! Einen Augenblick sah es so aus. Zehn Meter weiter davon entfernt wäre es kaum zu vermeiden gewesen.

»Was is? ... doch ernsterer Unfall ... Der Kammersänger Guschelbauer! Ich bidd Ihnen, was is mit'n Guschelbauer? Was is mit 'n Ferdi?«

»Nichts . . . nichts . . . beruhigen sich die Damen . . . Gott sei Dank . . . nichts! Aber um ein Hoar . . .«

Schreckensbleich stand der beliebte Tenor der Hofoper neben dem Prellsteine, umringt von Herren und Damen, und wies auf ein Stück des Peitschenstieles, das vor ihm niedergefallen war und ihn gestreift hatte. Er erzählte den teilnehmenden, ihn mit Ausrufen unterbrechenden Mitgliedern der Gesellschaft die glückliche Rettung seines Lebens.

»Ich schteh da . . . und sag grad zu der Baranin Nituschek . . . wann ich nur übermurgn zu meinem Konzert au fait bin . . . i waß net . . . es woar, als wann mir was vorgangen wär . . . in diesem Mamente rast das Pferd einher . . . ich schteh hinter diesem Prellstein . . . einen halben Mäter weiter furn . . . und der Wogn zerschmättert mich . . . !«

»Um Gattes wülln! Ferdi! Herr Kammersänger . . .«

»Wann ich Ihnen sag . . . einen halbn Mäter . . . dreißig Sandimäter weiter furn und der Wogn begrabt mich unter seinen Trimmern!«

»Aber . . . warum . . . ?«

»Ich bidd Ihnen, ich denk doch an nix . . . ich denk an goar nix von der Wölt! Ich schteh einfach da . . . mit der Baranin Nituschek und der Kanteß Mizzy Styrum . . . mir bladern zusammen . . . in diesem Aagenblick rast der Wogn ums Eck, die Schassee herunter, hier an den Schtan . . . an den Pröllschtan . . . der Peitschenschtühl schtraaft mich . . . wanns an eiserner Gegenstand gewesen sein möchte . . . wär das Schienban entzwei . . .«

Ein unterdrückter Schrei.

»Aber das wär noch das mindeste . . .« fuhr Guschelbauer fort, den die Teilnahme ermunterte. »Ich sag . . . dreißig Sandimäter weiter furn und ich bin zerquätscht . . . eine Laiche! . . . So spült der Zufall mit dem Menschenleben!«

»Es is Leichtsinn!«

»Oba bidde, Frau Kommerzialrätin . . . was hoaßt Leichtsinn? Wann ich prominier, und es fallt mir a Ziegelschtan aufn Kobf . . . is das Leichtsinn?«

»Es is doch Leichtsinn. Sie gehören nicht an Orte, wo Ihnen nur das geringste widerfahren kann . . . Sie sind das uns schuldig, wann Sie schon gegen sich selbst gleichgiltig sein wohlen . . .«

»Oba bidde . . .«

Ein hochgewachsener Herr mit weißem Barte drängte sich aufgeregt durch die Menge.

»Ferdibuberl!« rief er schon auf einige Schritte Entfernung, »ich höre, du bist verletzt . . .«

»Ich? Ober nicht im geringsten . . . das haaßt, dieser Peitschenschtühl hat mich geschtraaft . . .«

»Nicht verletzt? Wirklich nicht?« rief der elegante Greis, in dem man den Grafen Spraun erkannte . . . »Alsdann dem Höchsten sei Dank! Mir brachte Baron Schreydolph die Hiobspost . . .«

»Beruhige dich . . . lieber Spraun . . . dasmal is es noch gnädig abgangen . . .«

»Aber du wirst mit deinem unverantwortlichen Leichtsinn und Jugendmute noch . . .«

»Nicht woahr . . . leichtsinnig!« rief die Kommerzialrätin triumphierend. »Ich habe ihm das auch gesagt. Lesen Sie ihm die Leviten, Herr Graf!«

»Ober gerne, Gnädigste! Ferdibuberl, ich werde dir klarmachen, was du uns schuldest . . .«

Umringt von Freunden und Freundinnen, die auf ihn einsprachen, entfernte sich der Kammersänger Guschelbauer . . .

Die Stimmen entfernten sich . . .

»Dreißig Sandimäter . . . weiter furn . . . ich bin eine Laiche . . .«

»Es ist unverantwortlich . . .«

»Ferdibuberl . . .«

Aus dem nächsten Hause kam Doktor Sally Krotoschiner heraus und sah bestürzt, daß niemand mehr da war. Auch Mia May war fort. Hinweg mit dem Gefolge Guschelbauers.

Und Krotoschiner hatte doch melden wollen, daß der Verunglückte schon wieder seinen Fuß ganz gut bewegen kann.

Welcher Verunglückte?

Nun, der Mann, der aus dem Wagen fiel und . . .

Ich bidde, wer spricht davon?

Haben Sie gehört, daß Ferdi Guschelbauer um ein Hoar unter den Hufen des Pferdes sein Leben verloren hätte? Das Publikum war erschiddert. Graf Spraun weinte. Wird Guschelbauer das Konzert absag'n?

Aber nein! Er wird trotz allem singen . . .

Tschau!

Ich werd's der Presse mölden gehn . . .

Auf Reisen

Ich fuhr nach Tirol. Das Kupee zweiter Klasse war gut besetzt. Neben mir saß ein würdig aussehender Herr mit langen Koteletten, offenbar der Gatte der beleibten Dame, welche so stark transpirierte und wie eine Moschusseife roch.

Die drei jungen Mädchen, welche aus ihren Reisetäschchen Ansichtspostkarten hervorholten und abwechselnd Lachkrämpfe bekamen, schienen die Töchter des Ehepaares zu sein. Der Herr mit den Koteletten versuchte mich in ein Gespräch zu verwickeln.

Ich muß hier eine Eigentümlichkeit meines Charakters erwähnen. Ich besitze ein überaus sanftes Temperament. Wenn mich aber im Friseurladen oder in der Eisenbahn ein Fremder anspricht, verspüre ich ein sonderbares Prickeln in der Kopfhaut. Ich begreife in solchen Augenblicken, daß es Kannibalen gibt, welche ihre Mitmenschen auseinandersägen lassen. Ja, ich beneide sie um die Macht hiezu.

Wenn der Herr mit den Koteletten eine Ahnung gehabt hätte, wie ich in Gedanken mit jedem Gliede seines Körpers verfuhr, er würde geschwiegen haben, er würde nicht den Mut gefunden haben, mir zu erzählen, daß es warm mache und daß eine Reise im Winter verhältnismäßig angenehmer sei, weil man sich gegen Kälte viel leichter schützen könne als gegen Hitze.

Er ahnte nichts und übersah es, daß in der Art, wie ich ihm den Zigarrenrauch in das Gesicht blies, etwas Gefahrdrohendes lag.

Er übersah es so vollständig, daß er mir versprach, aus seinen Reiseerlebnissen Beispiele anzuführen, welche die Richtigkeit seiner Behauptung klarlegen sollten.

In diesem Augenblicke erinnerte ich mich, daß ich meine schwergenagelten Bergschuhe angezogen hatte; ich wartete, bis er den ersten Satz seiner Erzählung begonnen hatte, und stieß ihm dann gegen das linke Schienbein, daß ihm die Augen naß wurden.

Wenn er glaubte, daß ich mich nach seinem Befinden erkundigen würde, täuschte er sich.

Ich verhielt mich schweigend und bemerkte mit Genugtuung, daß ihn die Roheit meines Benehmens verstimmte.

Er wandte sich an seine Gemahlin.

»Bei dieser Hitze hätten wir auch was Besseres tun können als reisen.«

»Dir zuliebe können wir nicht im Winter nach Tirol fahren«, erwiderte die beleibte Dame ziemlich gereizt.

»Tja! Aber 'n Vergnügen is es nun gerade nich.«

»Otto, willst du den Mädchen auch *diesen* Genuß verderben?«

Die Frage klang so drohend, daß niemand gewagt hätte, sie mit »ja« zu beantworten. Der Herr mit den Koteletten auch nicht. Er setzte sich zurück, rieb das Schienbein und las die Annoncen im Berliner Lokalanzeiger.

Vielleicht dachte er darüber nach, weshalb seine Meinungsäußerungen so geringen Beifall fanden.

Die beleibte Dame warf ihm noch einen feindseligen Blick zu, welcher genügte, den Mann auf eine halbe Stunde totzumachen. Dann ließ sie über ihre Züge den Ausdruck mütterlichen Wohlwollens gleiten und schenkte ihre Aufmerksamkeit den Töchtern.

»Ella, Hilde! Kinder, was habt ihr?«

Die ältere, eine Blondine von knospendem Embonpoint, unterdrückte ihren beängstigenden Lachanfall.

»Ach, Mama! Die Karte von Rudolf!« – »Zeig sie mal!«

Ella reichte eine bunte Ansichtskarte herüber. Ich saß so nahe, daß ich das Bild sehen konnte. Ein dicker Student, auf einem Bierfasse sitzend, in der einen Hand die Pfeife, in der andern den Maßkrug. Die Mama las halblaut vor:

> »Ihr kneipt Natur
> In Wald und Flur;
> Ich kneipe hier
> Bei Wurst und Bier.«

Es war schrecklich, wie die Mädchen aufs neue kichern mußten; sie hielten ihre Taschentücher vor, bissen darauf und ließen die Augen in Tränen schwimmen.

Die beleibte Dame lächelte gütig und streifte mich mit einem Blicke, in welchem viel Mutterstolz lag.

Ich sah deutlich, daß sie mich auf Umwegen zum Sprechen bringen wollte; und beschloß, ihr für diesen Fall auf den Fuß zu treten; es war ein Glück für sie, daß der Zug hielt und die Kupeetüre aufgerissen wurde.

Ein Herr wollte einsteigen, aber die beleibte Dame erklärte energisch, daß kein Platz frei sei.

Es entspann sich ein lebhafter Wortwechsel, in welchen auch der Mann mit den Koteletten eingriff. Er schöpfte Mut aus der Gewißheit, auf der gleichen Seite zu stehen wie seine Frau, und seine Haltung gewann an Festigkeit mit jedem Satze, welcher von ihr beifällig aufgenommen wurde.

Anfänglich sekundierte er, dann übernahm er die Führung, und zuletzt gehabte er sich so schrecklich zornig, daß ihm die Gemahlin ängstlich abwehrte.

»Aber, Männchen, beruhige dich doch! Du bist ja entsetzlich in deiner Wut...«

»Nein, Mausi, laß mich! Ich dulde nicht, daß man euch zu nahe tritt.« Und er brüllte wieder zur Kupeetüre hinaus: »Was glauben Sie eigentlich? Was fällt Ihnen ein? Sehen Sie nicht, daß hier Damen sitzen? Diese Damen stehen unter meinem Schutze, haben Sie mich verstanden? Unter *meinem* Schutze! Ich dulde absolut nicht...«

»Aber Männchen!«

Die beleibte Dame klammerte sich ängstlich an ihn, als fürchte sie, daß er im nächsten Augenblicke etwas sehr Unbesonnenes tun würde.

Er machte sich sanft aus der Umarmung los und schrie, daß seine Ohren sich blau färbten.

»In Deutschland nimmt man Rücksicht auf die Damen. Da könnte so etwas nicht passieren, verstanden! Haben Sie in Österreich noch nicht gelernt, wie man sich gegen Damen zu benehmen hat? Aber Sie irren sich, wenn Sie glauben. Ich dulde absolut nicht...«

»Männchen, setze dich zurück! Ich bitte dich...«

»Nein, Mausi! Ich will mal sehen, ob man...«

In diesem Augenblick kam der Schaffner und erkundigte sich nach der Ursache des Lärmes. Der Herr draußen sagte sie ihm.

Der Schaffner konstatierte, daß nur sechs Personen im Kupee seien, während vorschriftsmäßig acht Platz hätten. Er schob den Herrn zur Türe herein, schlug zu und pfiff, worauf sich der Zug in Bewegung setzte.

Der Mann mit den Koteletten beugte sich zum Fenster hinaus und rief dem Beamten mit der roten Mütze zu: »Natürlich! Das sind österreichische Zustände! Das sind echt österreichische Zustände!«

Als keine Antwort erfolgte, zog er sich endlich zurück und sah so martialisch um sich, als hätte ich ihm niemals in das Schienbein getreten.

Ich beobachtete den neuen Fahrgast. Ein fetter, blonder Herr mit Gesichtspickeln. Seine wasserblauen Augen sahen verständnislos in die Welt; an seinen dicken, runden Fingern glänzten fünf oder sechs Brillantringe.

Ich mußte sie bemerken, weil er häufig die rechte Hand mit einer schönen Geste an den Mund führte und sich räusperte.

Er versuchte, der Reihe nach die drei Mädchen anzulächeln, aber er begegnete sehr abweisenden Mienen.

Die beleibte Dame schoß ihm Blicke zu, welche ihm durch und durch gingen.

Er fühlte sich sehr unbehaglich und wollte das eisige Schweigen brechen.

»Entschuldigen Sie, meine Herrschaften, aber ich bin sehr gegen meinen Willen hier eingedrungen und bedaure lebhaft die Störung.«

Niemand schenkte ihm Gehör.

»Sie dürfen mir glauben, daß ich lieber in einem leeren Kupee fahre, als in einem vollen. Noch dazu, wann geraucht wird. Ich bin Tenor.«

Die Wirkung seiner Worte war großartig.

Die drei jungen Damen wandten sich ihm lebhaft zu, und die Mama glättete sämtliche Falten, welche ihre Stirne durchfurcht hatten.

»Sie sind Berufssänger?« fragte sie.

»Aber ja«, antwortete der Herr mit den Gesichtspickeln, »ich bin Mitglied der Wiener Hofoper, wann Sie gestatten. Sperlbauer Pepi is mein Name.«

»Sie sind hier zum Sommeraufenthalt?« fragte die beleibte Dame wieder.

»Ja; ich erhole mich etwas von den Bayreuther Strapazen.«

»Sie haben bei den Festspielen mitgewirkt?«

»Aber ja; ich habe im Ring mitg'sungen, wann Sie gestatten.«

Ein betäubender Lärm erhob sich. »Ella! Mama! Hilde! Im Ring! Das ist ja gottvoll! Und wie er das sagt! Ist er nicht süß? O, er muß uns etwas in das Album schreiben!«

»Kinder! Wir dürfen doch den Herrn nicht plagen.«

»Ach, Mamachen!« schmollte die Älteste, »denk nur, was für Augen sie bei Röpkes machen werden, wenn wir einen Vers von einem echten Sänger haben. Bitte! Bitte! Mein Herr!« fügte sie schmelzend hinzu und sah den Tenor seelenvoll an.

»Können Sie grausam sein?« fragte die Mutter.

»Aber bitte, wie können Sie glauben?« erwiderte Pepi Sperlbauer, »ich schätze mich glücklich, wann ich so hübschen, jungen Damen eine Gefälligkeit erweisen darf.«

Er sah dabei jede mit seinen wasserblauen Augen an und lächelte gewinnend.

Fräulein Ella reichte ihm errötend ihr Album und einen Bleistift.

Er netzte ihn und sah zur Decke hinauf.

»Wann ich nur wüßte, was ich Ihnen schreiben soll.«

»O bitte! Irgend etwas. Eine Zeile. Einen Vers.«

»Vielleicht etwas von Wagner?«

Pepi Sperlbauer sprach den Namen aus, als wenn er mit drei a geschrieben würde.

»Entzückend! Ja, das wäre herrlich!«

Der Sänger schrieb und überreichte mit einem innigen Blicke das Album der Besitzerin.

»Ich bedaure nur«, sagte er, »daß ich bei der nächsten Station mich von der liebenswürdigen Gesellschaft trennen muß. Aber freilich, Sie werden froh sein, wann der Eindringling fort ist.«

»O, wie schade! Mama! Ach Gott, wie können Sie denken!«

»Eine gewisse Störung habe ich doch verursacht«, meinte der Tenor mit einer kleinen Verbeugung gegen den Herrn mit den Koteletten.

Dieser fühlte, daß er etwas sagen sollte.

»Na, pardong! Ich hatte natürlich keine Ahnung, verehrter Meister, aber . . .«

Er kam nicht weiter, weil seine Frau ihn durch einen fürchterlichen Blick in die Kissen zurückwarf.

Und weil der Zug hielt. Pepi Sperlbauer erhob sich und verabschiedete sich mit vielen Verbeugungen und herzlichen Händedrücken.

Er winkte leutselig mit dem Hute, als wir weiter fuhren. Fräulein Ella ließ ihr Taschentuch wehen und trat erst nach geraumer Weile vom Fenster zurück.

»Wie schade, daß er schon aussteigen mußte!«

»Er wäre vielleicht geblieben, wenn nicht jemand so roh gegen ihn gewesen wäre«, sagte die Mama mit scharfer Betonung.

Der Herr mit den Koteletten vertiefte sich anscheinend in den Lokalanzeiger, welcher ihn vor den Blicken der Gattin schützte.

»Was hat er nur in das Album geschrieben?« fragte Hilde.

»Ach ja, das Album!« Ella öffnete es hastig und las vor:
»Ehrt eure deutschen Meister,
So bannt ihr gute Geister.

Pepi Sperlbauer.«

»Wie hübsch! Wie geistvoll!« riefen die Töchter.

»Es ist aus den Meistersingern«, erklärte ihr Vater und sah über den Lokalanzeiger herüber.

»Und es ist offenbar eine Anspielung, daß man sich gegen gottbegnadete Künstler nicht so roh benehmen soll«, sagte die Mama.

O Natur!

Personen: Er – Sie – Ein Holzknecht
Ort: Im Gebirge

ER: Wie das hier schon ganz anders riecht, Lizzi! A–ah! Endlich aus der Stadt in die Natur geflohen!

SIE: Himmlisch!

ER: Stelle dir vor! Der Schnee in unseren Straßen, schwarz, schmutzig, naß. Und hier blinkt und glitzert er.

SIE: Er ist direkt keusch, finde ich.

ER: Man denkt an Weihnachten, Christabend, an irgend was Poetisches.

SIE: Karl, du Guter! Nein, wie bin ich dir dankbar, daß du mich aus dem schrecklichen Trubel in diesen Frieden gebracht hast!

ER: Nicht wahr?

SIE: Weißt du, als ganz kleines Mädchen bin ich auch einmal im Winter auf dem Lande gewesen. Bei Großmama. Da weiß ich noch, wie da auch die Bäume verschneit waren und so merkwürdig aussahen.

ER: Du bekommst förmlich große Augen, wie du das sagst, Lizzi!

SIE: Es muß die heimliche Sehnsucht nach der Natur sein, die in einem lebt. Trotz allem, weißt du, Karl?

ER: Ja, ja. Trotz allem.

SIE: Nein! Sieh mal dort die große Tanne! Wie ein Ungeheuer sieht so ein Zweig aus. Wie was Lebendiges.

ER: Wie ein Märchen.

SIE: Die Natur ist doch das einzig Wahre!

ER: Man sollte hier immer leben!

SIE: Das wäre herrlich! Ich ließe mir einen großen Pelz dazu machen; weißt du, grünen Samt, mit Zobel besetzt, und innen auch Zobel, oder Seal.

ER: Das sollte man tun, hier leben.

SIE: Oder Skunks, Karl, obwohl ich eigentlich Skunks nicht sehr liebe.

ER: Das würde sich schon finden.

SIE: Und weißt du, eine Pelzmütze sollte ich haben. Ich habe vorgestern bei Bachmann eine entzückende Mütze gesehen.

ER: Dieser Friede ringsum!

SIE: Ich glaube, sie war aus Otterfellen und hatte vorne eine Agraffe, in der eine Reiherfeder steckte.

ER: Sieh dort, Lizzi, wie die Bergspitze noch von der Abendsonne beschienen ist.

SIE: Wun–der–voll! Weißt du, man könnte statt Reiher auch eine andere Feder nehmen. Meinst du nicht?

ER: Ja – ja. Ich könnte hier stundenlang in den Anblick versunken stehen.

SIE: Und ich möchte am liebsten durch den Schnee waten. Wie ein Schulmädchen, und ganz rote Backen davon kriegen.

ER: Und nasse Füße, Liebling!

SIE (enttäuscht): Das ist wahr!

ER: Man müßte eben andere Schuhe tragen. Und sich überhaupt daran gewöhnen. Oh! Hier muß ein Mensch gesund werden!

SIE: Ich fühle mich jetzt schon ganz anders.

ER: Ich meine körperlich *und* geistig gesund werden. A–ah! Diese Luft! Diese Luft!

SIE: Wie die Sonne verglüht! Das sollte man jeden Abend haben.

ER: Und sich von dem Zauber der Natur umfangen lassen.

SIE: Ich möchte am liebsten gar nicht mehr weg.

ER: Weißt du was? Wir bleiben einfach morgen noch hier.

SIE: Ach ja – das wäre himmlisch! Aber es geht nicht, Schatz. Ich *muß* morgen zur Schneiderin, und dann sollen wir bei Hofrats Besuch machen, und abends ist der »Rosenkavalier«, und ...

ER: Richtig, ja! Na, denn nich! Eigentlich ist es schade!

SIE: Mir blutet ja das Herz, daß man sich von hier losreißen soll.

ER: Mir auch. Diese Farben! Nein, diese Farben!

SIE: Du, dort kommt ein Mann.

ER: Er hat so was wie 'ne Säge umhängen. Das ist sicher 'n Holzfäller.

SIE: Wie stilvoll er aussieht!

ER (seufzend): Ach, wer auch so einer wäre! He, guter Mann!

HOLZER: Han?

ER: Sie leben wohl immer hier heraußen?

SIE: In der Natur?

ER: Und wissen vielleicht gar nicht, wie beneidenswert Sie sind!

HOLZER: Am -----! (Entfernt sich.)

SIE: Wie? Was hat er gesagt?

ER: Ach, so was . . . so was Bäuerliches, was die Leute hier oft sagen. Nun wollen wir aber umkehren. (Bleibt stehen und atmet tief auf.) Nein! Diese Natur!

Käsebiers Italienreise

Fabrikant Friedrich Wilhelm Käsebier aus Charlottenburg, seine Frau Mathilde und seine Tochter Lilly konnten endlich die längst ersehnte Reise nach dem sonnigen Süden antreten.

Sie fuhren über München–Innsbruck nach Verona, und wir wollen sie ihre tiefen Eindrücke von hier ab selbst schildern lassen.

I

Frau Mathilde Käsebier an Frau Kommerzienrat Wilhelmine Liekefett in Neukölln.

Verona, 12 febbraio.

My Darling!

Italia! Fühlst Du nicht auch den ganzen Zauber, den dieses Wort auf jeden Gebildeten ausübt? Ich kann Dir nur sagen, daß ich es kaum erwarten konnte, bis sich endlich der ewig blaue Himmel über uns wölbte. Mein Mann, der doch gewiß nicht allzu sensibel ist, rief schon in Kufstein: »Kinder, ich rieche schon den Süden.«

Und Lilly machte so große Augen wie ein Kind, und ich konnte kaum einschlafen.

Denke Dir nur, vor Ala erwachte ich von einem melodischen Geräusche, und ich weckte Fritz, und wir glaubten beide, es sei eine Flöte. Ich sagte noch, es ist gewiß ein Hirte, der seine Ziegen zur Weide treibt und eine alte Weise dazu bläst. Und ich malte ihn mir aus mit einem spitzen Hut und roten Bändern, wie man es doch öfter auf Bildern sieht.

Aber als Fritz den Vorhang hochzog, war es noch dunkel, und der Ton kam von der Dachrinne auf unserem Waggon. Es regnete nämlich. Das war freilich eine Enttäuschung, aber es ist doch schön, wenn die Phantasie so frei zu schweifen vermag und wenn man sich eigentlich nur Poesievolles zu denken vermag.

In Verona kamen wir ziemlich früh an, und es war ein schrecklicher Lärm auf dem Bahnhof. Ich dachte gleich an Deine Mahnung und gab sehr acht, daß der facchino unsere Gepäcke auch richtig an den Wagen brachte. Aber Fritz bekam zwei falsche Lire, als ihm der facchino herausgab.

Es ist doch zu traurig, daß ein so herrliches Land solche Zustände hat!

Addio für heute, Darling! Ich küsse Dich tausendmal
als Deine überglückliche Mathilde.

P.S. Im tea-room unseres Hotels sah ich gestern eine englische Lady in einer Abendtoilette von rosa goldgemustertem Brokat mit rosa Liberty und hellgrüner Tüllspitze. Das Kleid gefiel mir entschieden besser als das von Frau Thiedemann. Du weißt doch, der doppelt drapierte Rock mit Frackjacke und Kimonoärmeln.

·Nochmals Grüße und Küsse! Evviva la bella Italia!

II

Ansichtskarte. Amphitheater in Verona.
Fräulein Lilly Käsebier an Fräulein Lotti Jürgens, Berlin NW.

12 febbraio.

Hier ist alles wahnsinnig italienisch! Ach, wenn Du doch hier wärst!!!

Warst Du bei *Moissi*?? Bitte, bitte, schreib mir darüber!!

10000 K. u. Gr. Sempre la tua   Lilly.

III

Frau M. Käsebier an Frau Kommerzienrat W. Liekefett in Neukölln.

Venezia, 14 febbraio.

My Darling!

Gestern noch in Verona, und heute sind wir schon in der lagunenumrauschten Königin der Meere! Welch ungeheure Eindrücke ziehen hier doch in raschem Wechsel an uns vorüber! Hier spricht ja jeder Stein zu dem Gebildeten, und man kommt aus der künstlerischen Erregung ja eigentlich nie heraus.

In Verona hat mich am meisten das Grab von Romeo und Julia interessiert. Zu denken, daß man hier an der Ruhestätte dieser beiden Unglücklichen steht, deren Schicksal uns so sehr gerührt hat, und daß vielleicht ganz in der Nähe jener Palazzo ist, auf dessen Balkon das liebeglühende Mädchen sprach:

It was the nightingale and not the lark!!

Gott, wie man hier diese Poesie erst so recht versteht! Eigentlich müßte man mit Moissi hier sein.

Findest Du nicht auch, daß er in der letzten Zeit schlanker geworden ist? Thiedemanns erzählen, daß er müllert, aber Silberstein hat mir versichert, daß er die Fletcherkur gebraucht.

Jedenfalls, es wäre wundervoll, wenn er hier auf einer Strickleiter vom Balkon eines Palazzo herunterstiege.

So bevölkert unsere Phantasie auch die toten Gebäude mit den Gestalten der Dichtung.

Von Verona sind wir im direttissimo hierher gefahren.

Meyer hat es uns zwar zur Pflicht gemacht, daß wir in Vicenza aussteigen, um die dortige Architektur zu sehen, aber Fritz sagte, wir hätten genug zu tun, wenn wir die eigentlichen Clous kennen lernen wollten.

Und Kunstgelehrte haben doch alle einen Vogel. Findest Du nicht auch?

In Venezia sind wir am Bahnhofe sogleich in eine Gondola gestiegen und nach dem Hotel gefahren.

Gott, wie mir da zumute war! So romantisch!

Ich mußte immer an ein Lied denken, das man früher oft hörte, mit dem Refrain: »So singt der Gondoliere« oder so ähnlich. Aber eigentlich war es eine Enttäuschung, die Gondel nämlich und der Gondoliere. Ich dachte mir die Leute viel pittoresker, als schlanke Jünglinge mit silberbestickten violetten Eskarpins usw. So sahen sie nun nicht aus.

Ach, Darling, unsere Phantasie spiegelt uns doch so manches viel malerischer vor!

Für heute Schluß! Wir sollen noch eine Serenata auf dem Canale Grande hören.

Addio carissima mia! Tanti saluti! Tausend Grüße und Küsse!   Deine Mathilde.

Was sagst Du zu meinem Italienisch? Krauses haben uns geschrieben, daß der junge Silberstein allgemein als pervers gilt. Glaubst Du es? Gott, wie schrecklich!

IV

Friedrich Wilhelm Käsebier an Herrn Rentier Adolf Krickhan, Charlottenburg, Kantstraße.

> Venedig, oder Venezia, wie meine
> Olle zu sagen pflegt, 15. Februar.

Oller Bouillonkopp!
Meine fidele Karte aus München wirst Du erhalten haben. Ich war nämlich mit dem jungen Krause noch auf einer Karnevalsbierreise, nachdem ich die Damenwelt ins Bett geschickt hatte. Junge, ich sage Dir!

Ein paar Nachtbetriebe mit Bier und Weißwürsten und Mädels!

Hollolo juhu! Wir zogen mit 'n paar Dominos und einer Sennerin los in so eine Kutscherbude am Marienplatz. Fein mit Ei!

Die Sennerin hatte 'n Ausschnitt und Vorjebirge! Ei wei, Backe!

Du kannst Dir denken, wie ich da in meinem Element war, und die Kleine war direkt in mich verschossen. Nu lach nich so dreckig!

Sie sagte fortwährend: »Sie sin oder sein aber schlimm«, und Augen machte sie! Na, Junge, ich sage Dir, nich zu knapp! Eigentlich schade, daß man weg mußte und nu hier sitzt. Bleibe im Lande und nähre Dich redlich – vastehste?

Die Reise war bis jetzt so lila. In Verona bekiekten wir eine olle Ruine, die früher mal ein Zirkus oder Theater war. Ich sagte, Theaterruinen haben wir nu auch in Berlin genug, wo jede Saison 'n paar verkrachen, aber da kriegte ich's nich schlecht ab. Bildung – Junge!

Hierzulande sin die ollen Klamotten Heiligtümer, und meine Mathilde sieht fortwährend den Geist der Geschichte herumschweben.

Ich sage bloß, ne ordentliche Portlandzementfabrik her, un rin mit die Ruinen. Dafor können se uns noch dienen, die ollen Ruinen.

Aber sag das mal zu diese Jüngerinnen Baedekers, und dann ein Blick, vastehste, der durch Weste und Hemd geht.

Am Grabe Romios bemühte sich die Gattin, eine Träne rinnen zu lassen, un natürlich hat sie's auch fertig gebracht. Dabei soll der Kerl schon über hundert Jahre tot sein! Haste Worte?

Nu sind wir also glücklich hier in der Stadt, wo man in Gondeln gondelt. Du sollst mal sehen, wie verzückt die Damenwelt ins Wasser kiekt, bloß weil's Lagune heißt. Es spiegelt sich aber nischt darin, dazu ist es viel zu dreckig.

Am Markusplatz erzählt uns der Fremdenführer, daß vor ein paar Jahren der Turm eingestürzt ist. Na, was ich sage! Die Trümmer haben sie wieder zusammengekleistert, statt mal ordentlich mit Eisenbeton ran zu gehen.

Allens wegen die Fremden un damit Baedeker recht hat.

Sie leben hierzulande von der Vergangenheit und Jeschichte, damit sie nischt zu arbeiten brauchen. Das is die Jeschichte.

Eine Gesellschaft sage ich Dir! Schieba!

An der Grenze haben sie mir meine Kiste Bremer Zigarren gemaust oder konfisziert, wie man hier sagt. Und nu soll einer die Stinkadores italianos rauchen! Nee! Schön is anders.

Nu lebe wohl! Ihr sitzt wohl bei Stahlmann und spielt den deutschen Dreimännerskat? Der vierte Mann schwimmt in Wonne und Renässanxe und freut sich, wenn er wieder mal 'n ordentlichen Grand mit vieren aus der Hand kriegt.

Grüße Schmidtke und Krüger und sage ihnen, ich kann's nicht erwarten, daß ich wieder mal unter vernünftigen Menschen bin.

Was soll mir der Molo? Ich spiel' lieber 'n Solo! Au!

Euer Fritze Käsebier.

V

Ansichtskarte. Markusplatz in Venedig.
Fräulein Lilly Käsebier an stud. jur. Max Krüger, Berlin.

Venezia, 15 febbraio.

Venedig ist wahnsinnig echt.

Lilly.

VI

Ansichtskarte. Venezianische Gondel.
Fräulein Lilly Käsebier an Fräulein Lotti Jürgens, Berlin NW.

Um unser Schiff die Welle schäumt,
Der Gondoliere steht und träumt,
La luna blickt herunter,
Und wir genießen's froh und munter.
A rivederci!!! Tanti saluti!

Deine Lilly!
Warum seid Ihr nicht bei uns, um all dies Schöne mit zu ge-
nießen??!   Mama Käseb.
Gruß F. W. K.

VII

Frau M. Käsebier an Frau Kommerzienrat W. Liekefett in
Neukölln.

Firenze, 18 febbraio.
My Darling!
Was sagst Du? Im Fluge von den blauen Wogen des Adria-
tischen Meeres hierher in das ewig schöne Firenze!
Ich bin so voll von übermächtigen Eindrücken, daß ich mich
kaum zu sammeln weiß. Von der herrlichen Lagunenstadt riß
ich mich nur mit blutendem Herzen los, denn was hier das
Auge des Gebildeten erblickt und wovon hier die Seele zu träu-
men vermag, das ist unbeschreiblich!
Ja, Du hast recht in Deinem lieben, herrlichen Briefe, für den
ich Dir innigst danke, daß wir in Venezia gewissermaßen erst
die Sehnsucht erkennen, die geheimnisvoll in uns schlummert.
Wenn man so in einer Gondel sitzt und lautlos durch die Lagunen gleitet, kommt man sich selbst vor wie eine Katharina
Cornaro, und man möchte an den Dogen, der hinter uns sitzt,
ein Wort der Bewunderung richten.
Nur daß freilich mein husband die Illusion fortwährend
durch seine Berliner Witze zerstörte.
Aber trotzdem, dieses Plätschern der Wellen, diese Palazzi
mit ihren kühnen byzantinischen Formen, diese Rufe der Gondoliere wiegen uns immer wieder in Träume von der Vergangenheit. Man denkt an den Kaufmann von Venedig und glaubt,
dem entsetzlichen Shylock begegnen zu müssen, und man denkt

an das entzückende Buch vom Tod in Venedig, von dem jetzt doch so viel geschrieben wird. Ach, Darling, wenn man mit Richard M. Meyer, der doch so unglaublich viel gelesen hat, über den Rialto wandeln dürfte und seinen Ausführungen lauschen könnte!

Zwar findet man ja alles im Baedeker, aber dennoch, weißt Du, vom Standpunkte der höchsten Kultur aus den Geist der Geschichte beleuchtet zu sehen, das wäre der höchste Genuß, und nirgends sehnt man sich mehr nach einer gleichgesinnten Seele als gerade hier.

Eigentlich sollte man glauben, daß die Leute, welche immer hier leben dürfen, von der alten Kultur vollkommen durchdrungen sein müßten, aber man erkennt nur zu bald, daß dieses Volk eigentlich so gar nichts weiß von dem hehren Geiste, der um diese Stadt gelagert ist, und daß es vollkommen stumpf im Schatten der wundervollen Palazzi seinem alltäglichen Leben frönt.

Du solltest unsern Richard M. Meyer einmal fragen, woher es kommt, daß ein Volk so gänzlich ohne höhere geistige Interessen zu leben vermag, welches doch früher auf einer ähnlichen Kulturstufe stand wie wir jetzt.

Es wäre doch sehr interessant, von ihm eine authentische Auskunft zu erlangen.

Übrigens, Darling, sieht man hier sehr elegante Fremde, und die neuen Frühjahrstoiletten sind direkt süß.

Die neue hohe Form der Hüte ist entzückend; viele sind aus schwarzem Moiré mit Phantasiegestecken. Und die Mäntel, Minchen! Weißt Du, futterlos mit breiten Vorderteilen, innen mit Leineneinlage, große untergesteppte Taschen, und der Rücken nahtlos, oben mit schmaler, unten mit breiter Naht aufgesteppt!

Sie sind tipptopp und très, très chic!

Am 17. mußte ich mich von Venedig losreißen.

Mit welchen Gefühlen, brauche ich Dir nicht zu schildern.

Es war ein Traum!!!

Aber doch, wir gehen ja neuen Herrlichkeiten entgegen, und hier in Firenze, in der Capitale der Renaissance und Dantes will ich erst recht in der Kunst und Schönheit schwelgen.

Inviando a Lei una cordiale stretta di mano!

Was sagst Du zu meinem Italienisch?

Tausend Grüße und Küsse. La tua, la tua!   Mathilde.

Der junge Silberstein soll doch ganz bestimmt pervers sein.

Jürgens haben es nun auch geschrieben. Und denke Dir nur, wen sahen wir hier in Firenze als ersten Menschen? Ihn!! Den jungen Silberstein! Und Fritz sagt, nun sei es richtig.

Denn hier – – Darling, man erzählt sich ganze Hardenbände von der deutschen Kolonie, und wenn wir erst mal wieder zusammen sind, geb' ich Dir Aufschlüsse – shocking – very – shocking!!

VIII

Ansichtskarte. Florenz von San Miniato aus.
Lilly Käsebier an Jenny Krause, Berlin NW, Lessingstraße.

Firenze, 18 febbraio.

Florenz ist wahnsinnig italienisch. Man begreift hier erst, was es ist!! Gr. u. K.   Deine felicissima Lilly
Nachschrift:
   Warum seid Ihr nicht mit uns, um all dies Schöne mit zu genießen?!

Viele herzl. Grüße   Mathilde K.

IX

Ansichtskarte. Palazzo Vecchio in Florenz.
Lilly Käsebier an stud. jur. Max Krüger, Berlin, Kurfürstendamm.
   Ecco l'Italia!! Ecco Firenze!!
   Hast Du eine Ahnung, Maxe??   Lilly.

X

Frau M. Käsebier an Frau Auguste Krause, Berlin NW, Lessingstraße.

Firenze, 19 febbraio.

Dearest Auguste! Sweetheart!
Schon längst wollte ich Dir schreiben, aber die Flut dieser Eindrücke strömte so mächtig über mich herein, daß ich wirklich zu gar nichts kam.

   Was soll ich Dir schreiben? Wie soll ich es Dir schildern, was ich im amfiteatro in Verona, vor dem Palazzo ducale in Venezia, vor dem herrlichen Colleoni empfand?!

Es ist unsagbar, und Worte sind zu schwach, um all das wiederzugeben, was sich angesichts solcher Wunder in uns vollzieht! Darüber einmal mündlich, und ich werde Dir dann mein Herz ausschütten.

Wir sind alle gesund und überglücklich.

Fritz natürlich in seiner Art. Du kennst ja Deinen Bruder und weißt, daß er nun mal von einer gewissen Erdenschwere ist, und wie er als echter Berliner seine Bewunderung nie zu erkennen gibt, sondern hinter schnoddrigen Bemerkungen versteckt.

Manchmal verletzt es einen sogar, aber man muß ihn eben nehmen, wie er ist. Ich bin überzeugt, daß er doch auch gegen die Sprache, welche all diese Herrlichkeiten reden, nicht taub ist. Wie geht es Deinem Karl, oder Carlo? So werde ich ihn von jetzt ab nennen, denn ich werde mich nie mehr von dem Wohllaute dieser Sprache losreißen.

Grüße ihn und Deine Kleine. Täglich sagen wir, wie schade es ist, daß Ihr nicht mit uns sein könnt.

Saluta i tuoi cari! Addio con tutta l'anima!

> Deine Dich liebende Schwägerin Mathilde.

Gestern waren wir im Palazzo Vecchio, im Palazzo degli Uffizi und im Palazzo Pitti. Schon diese Namen!

Und eine Menge von Gemälden! Wenn man sie nur zählen wollte, würde man schon ermüden, und erst, wenn man sich in sie versenkt!

Addio carissima!

XI

Friedrich Wilhelm Käsebier an Herrn Rentier Adolf Krickhan, Charlottenburg, Kantstraße.

> Florenz, auch Firenze genannt, den 20. Februar.

Oller Demelack!

Deinen Brief habe ich hier im Hotel vorgefunden, und es ist nur gut, daß ihn meine Lärmstange nicht in die Flossen kriegte, denn Deine liebenswürdige Schilderung von mir und der kleinen Tirolerin war das Menschenmeechliche.

Wer kann for de Liebe, Adolf?

Und ich sage Dir nur, Du hättest Deine Kulleroogen aufgerissen.

In Venedig waren wir drei Tage, und Du kannst Dir wohl vorstellen, wie miesepetrig mir war, immer neben der Ollen in Ekstase und immer Vortrag über schweigende Lagunen und tote Königin der Meere und was sich die Frauenzimmer so zusammenlesen.

Ich sage bloß, was bietet mir als Mann von heute, der mitten im Leben steht und die Ellenbogen brauchen muß, so 'n Altertum?

Alter Keese stinkt.

Aber die Olle tat natürlich immer jerührt wie Appelmus und spielte mir Bildung vor.

Da war auch so 'n Reiterdenkmal von Colleoni, und Du hättest mal hören sollen, was die Damenwelt da für einen Raptus kriegte oder wenigstens so tat, und die kleine Kröte fing mir zu himmeln an.

Na, so blau! Ich sagte »Ferd is Ferd« und ob es mal das linke Bein oder das rechte Bein hochhebt, das macht doch wirklich nicht den Unterschied, daß sie tun müssen, als wären sie von der Stadtbahn überjefahren.

Na, da gab es wieder den Blick, als wenn sie Gott um Rechenschaft fragte, wie er so was wachsen lassen konnte.

Tut mal nich so, sagte ich, ich sage bloß ehrlich meine Meinung, und ihr spielt Theater, und das Textbuch ist der Baedeker.

Nu aber raus aus die Lagunen und rin ins Tschinquetschento!

Du sollst mal Mathilden hören, wie sie Tschinquetschento sagt, so als wenn sie's erfunden und ganz alleine hätte, und auch wieder mit 'n Vorwurf gegen mich.

Nu ja, ich sage doch nischt!

Ich bin auf den Leim gekrochen und habe diese Reise in die gebildeten Länder gemacht und muß sie aushalten und bezahlen, und ich schwöre Dir, Adolf, einmal und nicht wieder!

Hier ist nun ein ganzer Band Baedeker zu absolvieren, und unter acht Tagen krieg ich die Olle nicht los, schon wegen die Briefe nicht, die sie schreiben muß, und weil man an ihrer Begeisterung zweifeln könnte, wenn sie zu kurz hier wäre, und so müssen wir eben unsere Zeit hier absitzen.

Hier gibt's noch mehr olle Häuser und Monumente und Kirchen und Klamotten und Kinkerlitzken und Hurrjott, erst die Bilder!

In den Restaurants sind wir nun schon ganz italienisch geworden, und sie kommandiert die Ober herum, daß es ein Vergnügen is mit insalata verde und testina di vitello con salsa picante und tortellini al brodo, und sie sagt es so, als wenn sie mang die Renässanxe geboren wäre.

Und täglich seufzen sie über mir, weil ich die verfluchten Sparghetti noch nicht wie 'n italienischer Lord um den Löffel wickeln kann und weil sie mir immer links und rechts aus der Futterluke bammeln, und denn helfe ich mir, wie's jeht.

Petrus sprach zu seine Jünger, wer keen Löffel hat, eßt mit de Finger.

Was mit die holde Weiblichkeit los war, fragst Du mich, kleiner Schäker?

Nischt. Und nischt is jut for de Oogen.

Ich mußte doch in Venedig Mondnacht mit Familie genießen und Stimmungen empfangen. Da hatte ich keine Gelegenheit, mir die Hexen näher zu betrachten, die einem mit ihren kohlschwarzen Augen das Herz versengen.

Na, vielleicht können sie hier mal Renässanxe ohne Papa intus nehmen, und denn zieh ich los und jebe meinem Herzen einen Stoß.

Grüße die Brüder von

Euerm Fritze Käsebier.

XII

Ansichtskarte. Dom in Florenz.
Lilly Käsebier an Lotti Jürgens, Berlin NW, Schleswiger Ufer.

18 febbraio.

Hast Du Worte? Ich bin wahnsinnig vor Entzücken. Diese Stadt! Dieser Himmel!!!
Nächstens folgt Brief. Saluti e baci!!
Deine felicissima

Lilly.

XIII

Frau Mathilde Käsebier an Frau Kommerzienrat Wilhelmine Liekefett in Neukölln.

Firenze, 21 febbraio.

My Darling!
Nun sind wir schon den dritten Tag hier, und ich kann mich nicht erholen vor Bewunderung über diese unsagbare Kunst und Kultur, welche hier einmal geherrscht hat. Man fragt sich doch unwillkürlich, wie es möglich war, daß im finstern Mittelalter doch auch eine gewisse Bildung vorhanden war. Ich denke es mir so, daß sie damals natürlich selten war und nicht allge-

mein, wie jetzt unter uns, und daß sie dann aber sehr stark bei einzelnen Leuten war und sie zu solch herrlichen Leistungen befähigte.

Du siehst, Darling, man wird hier ganz von selbst auf Schritt und Tritt zum Nachdenken angeregt, und man befaßt sich hier mit Problemen, zu denen man daheim im Hasten und Treiben des gesellschaftlichen Lebens leider nur allzu selten kommt.

Freilich haben wir ja bei Schulte und Cassierer häufig Anregung, und wir können sogar, was mir hier *sehr* fehlt, durch Aussprache mit bedeutenden Geistern oder bekannten Kunstkritikern unser eigenes Fühlen und Denken ergänzen, aber ich fühle doch hier, daß uns auch die Vergangenheit unsagbar vieles zu bieten vermag.

Oft wünsche ich mir hier eine starke Hand, die mich durch die Renaissance hindurchleitet, wie unsere Kritiker zu Hause durch die moderne Kunst, aber das ist nun mal ein unerfüllbarer Wunsch.

Ja, ich finde sogar für mein inneres Erleben so gar keine gleichgestimmte Seele, denn Lilly, so sehr sie sich bemüht, ist eben doch zu jung, und mein Mann – – –

Dearest Wilhelmine, oft frage ich mich, wie eigentlich das Leben zwei so widerstrebende Naturen zusammenführen konnte, und wie ich meine Ideale in einer solchen nüchternen Umgebung unberührt bewahren konnte. Zu Hause fühlte ich das ja nicht so sehr, wo ich Dich und einen Kreis von Gebildeten habe, aber hier befällt mich doch oft die schreckliche Gewißheit, daß ich nie, nie verstanden worden bin!!

Doch, ich will nicht klagen, sondern dankbar sein, daß ich wenigstens all dieses Schöne und Interessante in mich aufnehmen kann. Wir haben schon gleich in den ersten zwei Tagen die Gemäldesammlungen Uffizien, Pitti und Accademia, und das Bargello und auch die wichtigsten Kirchen erledigt, aber ich sehe aus dem Baedeker, daß wir noch sehr viel zu absolvieren haben.

Da ist es doch auch wieder eine Erholung, daß ich mit Lilly zum five o'clock gehe, wo wir entzückende Musik hören und die elegante Welt sehen können.

Denke Dir nur, ein sehr schicker Herr hat sich uns vorgestellt, ein Conte Bonciani, welcher dem italienischen Uradel angehört, so etwas ganz Vornehmes, weißt Du, wie bei uns der schlesische Adel, den man in der Hedwigskirche sieht.

Er verwechselte mich mit einer Gräfin Schlieffen, die er in

der deutschen Gesandtschaft kennen gelernt hat, und der ich außerordentlich ähnlich sehe, wie er sagt. Er war Attaché in Wien und München und spricht sehr gut Deutsch, nur mit italienischem Akzent, was ganz entzückend ist.

Er macht mir ein bißchen den Hof, aber ganz in den Grenzen eines Grand-Seigneur von der alten Schule, und hat so chevale-reske Manieren, wie man sie eben doch nur bei so echten, alten Familien findet. Wenn er hier von einem Palazzo Strozzi oder so spricht und so ganz nonchalant sagt, daß er seinem Onkel gehört, fühlt man doch, welcher vornehmen Tradition man hier begegnet, und ich sagte ihm auch, wenn er je einmal nach Berlin kommt, muß er uns besuchen, und ich gebe dann einen großen Abend.

Morgen ist ein concours hippique in den Cascinen, und Bon-ciani will mich und Lilly dorthin führen; Fritz wird uns nicht begleiten. Er hat hier ein Bierrestaurant gefunden und das, was er gemütlich nennt, und er will sich in diesen Seligkeiten nicht stören lassen. Ich bin auch wirklich nicht unglücklich, wenn er wegbleibt, denn wenn wir voraussichtlich mit einigen ersten Familien von Florenz Bekanntschaft schließen – – Du ver-stehst mich.

Aber nun addio, Darling! Addio! Tausend Grüße und Küsse von Deiner Dich liebenden Mathilde.

Ich habe mir hier ein Kostüm bestellt, da wir nun doch öfter mit dem Conte die Passeggiata in den Cascinen mitmachen und mit der first class bekannt werden sollen. Es ist ein französi-sches Jackenkostüm mit Hüftgürtel. Weißt Du, futterloser Dreibahnenrock zu Sackrockfalten gelegt, die Jacke seiden-gefüttert, an den vorderen Rändern zusammenhängend mit dem Kragen, mit dem gleichen Stoff besetzt.

Dazu ein Hütchen, Darling! Ein Gedicht! Schwarzen gefal-teten Samtkopf mit schwarzen Reihern. Er sieht fast so aus wie ein Samtbarett, und man kann sich Michelangelo vorstel-len, der, ein solches Barett keck aufgestülpt, durch die Straßen von Firenze wandelt.

Der Conte findet das auch. Addio! Addio!

XIV

Lilly Käsebier an Lotti Jürgens, Berlin NW, Schleswiger Ufer.

Firenze, 23 febbraio.

Liebste süße Lotti!

Endlich kann ich Dir den versprochenen Brief schreiben, aber Du glaubst ja gar nicht, wie wahnsinnig man hier in Anspruch genommen ist von allem Neuen, was man sieht und hört.

Vormittags muß man sich bilden und in Begeisterung schwelgen, aber nach Tisch, Lotti! Lotti! Du ahnst es nicht.

Nein, die Italiener sind wirklich süß!

Du, die können einen ansehen mit ihren runden schwarzen Augen, daß einem ganz schummerig wird, und frech wie Oskar!

Und Leutnants sieht man hier, Li-La-Lotti, weißt Du, mit himmelblauen Breeches und breiten, amarantfarbenen Streifen und kurzen, ganz, ganz engen Uniformröcken. Ich finde sie einfach süß.

Der gräßliche Professor Hänisch, den Papa hier in einer Pilsner Bierhalle getroffen hat, sagt, die italienischen Offiziere hätten nicht den wuchtigen, kriegerischen Ernst wie die preußischen, aber ich bin überzeugt, daß sie viel, viel besser flirten können.

Ach, Süßing, warum spreche ich nicht Italienisch?

Da sieht man doch erst, wie gut es ist, wenn man die Sprache eines Landes kennt, und ich habe mir auch fest vorgenommen, daß ich zu Hause italienische Stunden nehme.

Und dann reisen wir aber auch ganz gewiß mitsammen hieher – Li-La-Lotti, und ich mache Dir den Cicerone und übersetze Dir, was so ein Gentiluomo – Gott, wie das klingt! – uns ins Ohr flüstert.

Du!!! Denke Dir, wir haben einen echten Conte kennengelernt bei Donnay, einen wahnsinnig schicken Attaché, der in Wien bei Hof war und sehr gut Deutsch spricht! Conte Bonciani. Er hat sich uns beim five o'clock vorgestellt, und wir fuhren gestern mit ihm in einer Carozza zum Rennen.

Mama ist ganz begeistert von ihm, weil er zur crême de la crême gehört, und er hätte uns auch den besten Familien vorgestellt, aber Mama wollte nicht, weil sie ihr Kostüm noch nicht bekommen hatte, und da zeigte er uns nur die Strozzi, Ricci und Aldobrandini usw., mit denen er doch meistens verwandt ist.

Ich finde ihn todschick, aber er flirtet auch kein bißchen mit mir und macht nur Mama respektvoll den Hof.

Ich muß aber jetzt schließen, Süßing. Mama ruft mir schon ungeduldig, weil wir zum five o'clock gehen.

Tante saluti e baci (Küsse!!) von Deiner   Lilly.

Grüße auch Krügers vielmals und Mäuschen und Jenny und den verrückten Max und alle, alle Bekannte, und sage ihnen, es ist noch schöner, als man sich das ausmalt.

Du!! – – Hast Du Moissi nicht mehr gesehen? Ach, erzähle doch, bitte! bitte! Wie war es denn in der Philharmonie? In Venedig haben wir immer von ihm geschwärmt, und ich habe ihn mir vorgestellt im Romeokostüm in einer Gondel! – –!

Adieu! Adieu! Mama ruft schon wieder.

Du! Etwas muß ich Dir noch rasch erzählen. Man legt doch seine Visitenkarten auf das Grab von Romeo und Julia, und ich habe auf ein Kärtchen »Moissi« geschrieben und habe es auf den Sarg der Liebenden gelegt. Was sagst Du??

Addio, carissima!!

Du! Von dem jungen Silberstein habe ich was erfahren!! Du auch? Bitte, bitte, schreib mir! Ja??

XV

Friedrich Wilhelm Käsebier an Herrn Rentier Adolf Krickhan, Charlottenburg, Kantstraße.

Florenz, 24. Februar.

Olle Meppelnese!

Uff! Mir jeht de Puste aus. Kinderkens, habt Ihr 'ne Ahnung, was ein Mensch für seine Bildung tun muß? Ihr habt sie nich!

Ihr sitzt bei Mutter Böhme und spielt eine Ehrenronde nach der andern und jießt immer noch ne Nullweiße uff de Lampe und – ich! Heiliger Bimbam!

Ich muß uffzieh'n in den Uffizien, ich muß mit – i – in Palazzo Pitti – ich muß – o weh o! Ins Museo!

Aber Ihr Keseköppe kennt ja nich mal die Namen, und von dem, was es ist, habt Ihr noch nich 'ne Ahnung jejessen!

Stell Dir mal vor eenen Korridor – vom Brandenburger Tor – ich bin heute poetisch, was, Adolfken? – also vom Brandenburger Tor bis zum Schloß, denn rechts um die Ecke rum een langer Korridor, und denn links herum eener vom Schloß bis Brandenburger Tor. Das sind die Uffizien. Und paß mal

Acht, ein Zimmer am andern und hinterm Zimmer wieder 'n Zimmer und daneben 'n Zimmer und allens voll Bilder und Jemälde und Jemälde und Bilder, und nu setz Dich mal in Trab neben meiner Mathilde und schese mal durch Saal Nummer 1 bis 99, und denn kajole von 99 bis 222, immer mit 'n Lötkolben im Baedeker!

Madonna mit 'n Kanarienvogel, Madonna mit dem Zeisich, Madonna mit was weiß ich und Lippo Lippi und Lippino Lippi und Botticelli und noch neunhundertneunundneunzig tschelli und tschello und Knaatsch und Knuddel und 'n steifes Jenick und de Hühnerkieke – siehste Junge, das ist Kunst und muß jenossen werden.

Hurrjott, wo sie nur alle die Bilder her haben!

Wir Berliner haben doch auch mächtig ville Maler, die en orntliches Ende wegschmieren, aber ganze Stadtteile mit verkleckster Leinewand, halt mal 'n Hut uf – ick will ausspucken.

Un Mathilde!!

Sie hat 'n runden Flunsch gekriegt mit lauter italienische Namens, und wenn sie so 'n Happenpappen mit tschelli und tschello hat, denn kaut sie 'n paar Stunden dran, und en Augenaufschlag hat sie sich angewöhnt von wegen meinem Mangel an Kultur, mit dem kann sie sich für Jeld sehen lassen.

Nee, Junge, nu hab ich genug vons Tschinquetschento.

Ich habe der Damenwelt erklärt, daß ich nicht mehr mitspiele, und meinetwegen können sie die Baedekerkur so lange mitmachen, wie se wollen, mich kriegen sie an die Lippo und Lippi nicht mehr ran.

Von die vielen Heilijen is mir schwach jeworden, und ich werde mir jetzt mal ordentlich Pilsner in de Jacke schwenken.

Menschenskind, was sagst Du?

Begegne ich nicht vorgestern dem Oberlehrer Hänisch, der hier auch noch was zulernen soll, und führt er mich nicht in die allergemütlichste Pilsnerbierstube?

Stahlmann in Florenz!

Nu glaube ich wieder, daß ich in Europa bin, und Bismarckheringe und Rollmops und 'n großes Pils, da fordere ich das Jahrhundert in die Schranken und Mathilden ihr fünfzehntes ooch.

Nee, das is merkwürdig, Adolfken, hier ist jeder Schluck Bier eine vaterländische Festfeier, und es singt in einem wie die Wacht am Rhein und Deutschland, Deutschland über alles, wenn man erst wieder mal das richtige Getränke hat.

Hänisch ist ganz der richtige Mann für so was, und det kannste glauben, es werden uns nich bloß de Oogen naß vor Vaterlandsliebe.

Mathilde hat die Hoffnung aufgegeben, daß ich mir noch mal die Beene in Leib stehen werde vor ihre Baedekerbekanntschaften, und sie läßt mir auch alle Tage an ihrem Mitleid über meine Unbildung riechen. Aber ich glaube, der Tschinquetschento stößt ihr selbst 'n bißchen sauer uff, und sie begibt sich mit ihrem Wissensdurst mehr in die Ruhe.

Sie hat's nun wieder mit Eleganz und Gegenwart und schlabbert Tee mit Musikbegleitung, und vorgestern ist sie mit Lilly zum Rennen gefahren.

Sie quasselt jetzt viel von Legationen und Gesandten und erste Florentiner Familien, weil sie ganz was Vornehmes kennen gelernt hat, so 'n Windbeutel, der mal Attaché in Wien gewesen ist, sagt er. Ich habe auch schon die Ehre jenossen, und ich muß sagen, der Kerl mit seinem gefärbten Schnurrbart sieht aus wie 'n Mausfallenhändler mit gepumpter Kleedage, und Jeld is bei dem det wenigste. Der richtig gehende Nassauer.

Er hat die große Klappe und is ein Herz und eine Seele mit allens, was adelig ist.

Ich trau dem Kerl nicht über den Weg, aber die Damenwelt verliert den ganzen Glauben an mir, wenn ich davon anfange.

Na, lange bleiben wir ja nich mehr, und übermorjen oder in drei Tagen fahren wir nach Rom, wo es, wie Hänisch sagt, auch Pilsner Hallen gibt.

Auf diese Weise ertrage ich noch 'n paar Wochen Italien, aber hernach, Hurrjott, gibt's eine dolle Skatsitzung.

Grüß die Brüder von Euerm Rennässanxmenschen

Fritz Käsebier.

XVI

Telegramm.

Frau M. Käsebier an Frau Auguste Krause, Berlin NW, Lessingstr.

Florenz, 24. Febr., 10h vorm.

Absendet sofort eingeschrieben meinen Schmuck nach hier. Brief unterwegs.   Mathilde.

XVII

Frau M. Käsebier an Frau Auguste Krause, Berlin NW, Lessingstr.

Firenze, 24 febbraio.

Dearest Auguste!

In aller Eile möchte ich Dir auch brieflich mitteilen, daß und warum ich Dich um sofortige Sendung meines Schmuckes ersuchen mußte. Am 27. febbraio ist Rout beim Principe Orsini, und ich soll durch Conte Bonciani dort eingeführt werden!

Welch ein Glück, daß ich wenigstens *eine* Gesellschaftstoilette mitgenommen habe! Du hast hoffentlich den Schmuck sofort abgeschickt, damit er noch rechtzeitig eintrifft, denn Bonciani sagt, daß es florentinische Sitte ist, beim Rout Schmuck zu tragen, und daß die crême de la crême von Firenze an diesem Abend im höchsten Glanze erscheinen wird. Es ist die denkbar größte Ausnahme, wenn forestieri – Ausländer – zu solch intimem Abend eingeladen werden, und nur dem kolossalen Einfluß des Conte ist es gelungen, diese hohe Ehre für mich zu erreichen. Bonciani sagt, daß die großen Familien der Colonna und Orsini viel, viel exklusiver sind als die deutschen Fürstenhöfe, und daß es viel leichter ist, in der Wiener Hofburg Eingang zu finden als bei der altissima nobiltà hierzulande.

Dearest Auguste, Du hast doch ja den Schmuck sofort abgeschickt!?!

Das Telegramm habe ich heute vormittag aufgegeben, wenn er noch am 24. abging, muß ich ihn unbedingt am 26. abends, oder längstens am 27. früh haben.

Verzeih, daß ich Dir die Mühe machte, aber Du verstehst doch, *wie* viel mir daran liegt, bei diesem Abend repräsentativ zu erscheinen!

Viele, viele Grüße an Dich und alle Lieben von
                            Eurer felicissima Mathilde.

XVII

Frau Mathilde Käsebier an Frau Kommerzienrat Wilhelmine Liekefett in Neukölln.

Firenze, 24 febbraio.

Sweet Darling!

Heute schreibe ich Dir so beseligt und glücklich wie noch nie. Denke Dir nur, Bonciani hat es durchgesetzt, daß ich zum Rout des Principe Orsini eingeladen wurde, eine Ehre, nach der die vornehmsten Mitglieder der deutschen Kolonie vergeblich schmachten!

Ach! Wie vollkommen wäre erst mein Glück, wenn ich mit Dir an der Seite unseres Gentiluomo in den hohen Saal eintreten dürfte! Ich habe meine absinthfarbene Charmeuse mit Perlstickerei mitgenommen. Du kennst ja das Kleid und kannst Dir denken, wie froh ich bin, daß ich diese Eingebung hatte, und meine Schwägerin wird mir auch meinen Schmuck schikken, den ich ihr zum Aufheben gab. Ich wollte ihn ja unbedingt mitnehmen, aber Fritz widersprach so heftig, daß ich nachgab. Nun muß ich ihn nachkommen lassen. Darling, ich kann Dir gar nicht beschreiben, wie ich mich freue, daß ich durch eine Fügung des Himmels Eingang in diese exklusivsten Kreise gefunden habe.

Wir bleiben nun auf jeden Fall noch länger hier, obwohl Fritz sehr drängt, daß wir sobald als möglich über Rom und Neapel nach Hause fahren; aber ich lasse mir unter keinen Umständen diese wundervolle Gelegenheit rauben, mit der altissima nobiltà Verbindungen anzuknüpfen, die doch nur ganz, ganz wenige Menschenkinder finden.

Mit den Sehenswürdigkeiten bin ich ohnehin so ziemlich fertig, und ich kann mich vollkommen dem gesellschaftlichen Leben hier widmen, und Bonciani sagt, daß eine Einladung bei Orsini mir die Tore aller Palazzi öffnet, und daß ich mich darauf gefaßt machen muß, die begehrteste Persönlichkeit zu werden. Es sei nur schade, sagt er, daß die Saison bereits zu Ende geht. Aber der Rout bei Orsini gilt immer noch als Clou, und jedenfalls lasse ich mir hier noch eine Gesellschaftstoilette anfertigen. Was sagst Du zu schwarzem Samt und Goldbrokat? Mein französisches Jackenkostüm ist todschick geworden und hat gestern in den Cascinen Aufsehen erregt.

Zwei Damen in einem eleganten Dogcart haben sich nach mir umgedreht, und Bonciani sagte mir, es sei eine principessa Colonna mit ihrer Schwester gewesen, und er hätte mich sogleich vorgestellt, aber leider fuhren sie schon in die Stadt zurück, und wir konnten doch auch nicht umkehren und sie einholen.

Ach, Darling, das Leben ist doch schön!

Wenn ich nun ein bißchen in den Strudel des high life untertauche, muß Lilly eben allein die Museen besuchen, und ich finde es sogar sehr gut, wenn sie selbständig an ihrer künstlerischen Bildung weiter arbeitet.

Sie hat an meiner Seite alles Wesentliche gesehen und kann nun noch etwas mehr ins Detail gehen.

Fritz nimmt mich – gottlob – gar nicht in Anspruch. Er sitzt Tag und – – Nacht! – mit einem Berliner Professor zusammen und ist selig, daß er hier deutsche Kneiper gefunden hat.

Nun – chacun à son goût!

Übermorgen – – Darling!

Es klingt fast wie ein Märchen, daß man bei den uralten Familien Orsini zu Gast sein soll, in einem salone, in dem schon die berühmtesten Leute des Cinquecento mit ihren grandes dames geweilt haben.

Der Principe Strozzi wird, wie Bonciani sagt, ganz bestimmt auch dort sein, und da er ein Vetter von ihm ist, werde ich mit ihm in nahe Fühlung kommen.

Che combinazione grandiosa!

Good by, sweet darling! Voglimi bene! Addio con tutta anima.

La tua

Mathilde.

XIX

Friedrich Wilhelm Käsebier an Frau Auguste Krause in Berlin NW, Lessingstraße.

Florenz, 27. Februar.

Liebe Juste!

Du hast wohl'n Keber gehabt, daß Du meiner Droomsuse ihre ganze Brillantinenausstattung geschickt hast, und wenn se Dir auch telegrafisch darum gebeten hat, denn hättest Du doch bei mir anfragen können, ob sie nich 'n bißchen schwach im Koppe jeworden ist. Und ich hätte Dir dann schon uffgeklärt.

Seit ein paar Tagen war sie reine weg vor lauter Grandezza, ich war ihr schon zu jemischt, und sie quasselte bloß mehr von Strozzi und Orsini und Einladungen und Routs und habte sich so und tat sich dicke, als wenn sie 'ne geborne Hohenzollern wäre und mal ein bißchen die italienischen Fürstens bemuttern müßte. Na, ich dachte mir, sie war ja immer nich janz unwohl und hat mal wieder 'n jroßen Traller, aber das dicke Ende kam nach oder wäre nachgekommen, wenn nich gerade noch die Polizei Vorsehung gespielt hätte.

Gestern uf'n Abend geht in unserm Hotel ein Mordsradau los, denn im Zimmer von 'ner Amerikanerin war 'ne Tasche mit Schmuck un Jeld jemaust worden, und er kam gerade dazu, wie der Kerl aus dem Zimmer flitzte, und nu scheste er los, ein, zwei Treppen runter, den Korridor lang und rin ins Klosett, aber mein Amerikaner immer hinterher, und wie er'n hatte im Doppelnull, schreit er nach Kellner und Hausknecht, und denn is auch gleich das halbe Hotel vor dem Geheimkabinett,und wie sie die Türe aufbrechen wollen, kommt der Kerl heraus, als wenn nischt wäre, und wer is es? Der elegante, todschicke verflossene Attaché, Conte Bonciani! Hat sich aber was mit dem Conte, weil ihn die Polizei schon kannte, und er is bloß von der serbischen haute volée, 'n geprüfter und approbierter Hoteldieb aus Belgrad, so 'n Petrowitsch Gregorowitsch Lumpowitsch. Er hatte doch die liebe Mathilde so schön betimpelt, und wenn er man bloß bis heute hätte warten wollen, denn konnte er mit Brillanten beladen abschwimmen, und Deine seelensgute Schwägerin hätte keinen Ton gesagt, weil se doch viel zu vornehm is, und von wejen der hohen Verwandtschaft, die der Mussiö Lumpowitsch mit die Orsinis hat.

Nee! Ich denke, der Affe laust mir, wie sie mir im ersten Schrecken das Geständnis machte, daß sie heute bei Fürstens Tee schlabbern wollte und sich den Schmuck bestellte, den ihr det Aas dann geklaut hätte.

Ich habe ihr aber 'n Licht uffjesteckt. Mathilde, sagte ich, so 'ne Leute wie dein verewigter Conte sind Menschenkenner, und nun kannst du dir an die Finger abklawieren, warum er gerade dir seine Vornehmigkeit präsentiert hat. Der kennt dem lieben Jott sein Reitpferd und weiß Bescheid, und so was kommt immer von so was.

Nun tu mir den einzigsten Gefallen, Auguste, und schicke uns nicht 'n ganzen Möbelwagen nach, wenn wir vielleicht noch näher mit dem italienischen Adel bekannt gemacht werden, und grüße mir Deinen Karl, der sich 'n Ast lachen wird.

Herzlich

Dein Bruder Fritze.

XX

Frau M. Käsebier an Frau Kommerzienrat Wilhelmine Liekefett in Neukölln.

Firenze, 1 marzo.

Darling!

Gestern noch wollte ich Dir auf Deinen Brief antworten, in dem Du mir Glück wünschest zu meinen Erfolgen in der Florentiner Gesellschaft, aber Deine Worte rührten aufs neue meinen Schmerz auf, und ich brachte es nicht über mich, Dir das Schrecklichste mitzuteilen.

Was ist das Leben? Was ist unser Glaube an alles Gute und Schöne?

Ich bin so grausam enttäuscht, daß ich den Glauben an die Menschheit definitiv verloren habe, und nie, nie mehr werde ich jenes harmlose Vertrauen auf die edlen Seiten der menschlichen Natur zurückgewinnen.

Denke Dir – nein, die Feder sträubt sich, es hinzuschreiben – dieser Bonciani – oder nein, er heißt ja nicht so, er ist aus Belgrad und soll sich Gregorowich nennen – jedenfalls ist er Dieb und Hochstapler in einer Person.

Wie kann man sich so täuschen! Allerdings, er hatte Manieren, wie sie nur bei den upper ten thousand vorkommen, und er soll ja auch aus einer serbischen Adelsfamilie stammen, aber dennoch – –!

Er hatte es auf meinen Schmuck abgesehen, der ja nicht in seine Hände gefallen ist, aber das Erwachen aus diesem Traume war doch fürchterlich!

Erlasse mir die ausführliche Schilderung, Darling, meine Seele ist wund, und Du kennst ja Fritz und weißt darum, daß er nicht das Zartgefühl hat, meine Empfindungen zu schonen!

Ach!

Kurz und gut, am Tage vor dem Rout bei Orsini, oder richtiger vor dem Feste, das der Nichtswürdige mir vorgetäuscht hatte, wurde er als Dieb entlarvt und festgenommen, und ich muß noch froh sein, daß der Hotelier von der fälschlichen Einladung bei Orsini nichts sagte, und daß er auf meine Bitte hin darüber Schweigen bewahren will, sonst würde ich – es ist fürchterlich auszudenken – als Zeugin vor Gericht kommen.

Dieses Schrecklichste wenigstens scheint mir erspart zu bleiben. Es ist ja genug, daß Fritz mit einer wahren Freude in meiner Wunde wühlt und diese willkommene Gelegenheit benützt, um seine wirklich niedrigen Ansichten triumphierend zu verkünden.

Es soll uns nun einmal nicht beschieden sein, die Ideale hochzuhalten, und alles Erhabene muß in den Kot gezogen werden.

Laß mich schließen, Darling. Du verstehst mich und meinen Schmerz, und das ist mir eine Beruhigung in diesen trüben Tagen. Wir reisen morgen nach Roma, und vielleicht läßt mich der Anblick der ewigen Stadt diese Erlebnisse vergessen.

Die Kunst ist doch die einzige, nie versiegende Quelle der reinen Freuden, und meine Begeisterung für sie wird trotz aller hämischen Bemerkungen erst recht wieder emporlodern.

Ich nehme Abschied von Florenz, an das sich für mich eine so unsäglich bittere Erinnerung knüpft, und schicke Dir tausend, tausend Grüße und Küsse.

Deine tieftraurige Mathilde.

Der Interviewer

Zu deutsch: der Zusammenkünftler. Der Mann, der mit Ihnen zusammenkommt, ohne daß Sie ihn gerufen haben.

Er kennt Ihre Marke, unter der Sie im Publikum kursieren, und will, daß Sie Ihre Eigenart recht originell zum Ausdrucke bringen.

Erlauben Sie sich also nicht, diesem wildfremden Menschen reserviert entgegenzukommen.

Seien Sie vom ersten Augenblicke an »herzig und liab«, wenn das Ihr Firmenzeichen ist, oder »biderb grob« oder »geistvoll und sarkastisch«, und glauben Sie ja nicht, daß Sie den Mann durch gleichgültiges Benehmen täuschen können.

Er weiß, wie Sie sind, und prüft genau, ob Ihre Konversation musterecht ist.

Beobachten Sie den Mann, während Sie Indifferentes sagen. Seine Gesichtszüge verraten eine innere Qual, die sich bis zur Hoffnungslosigkeit steigert, wenn Sie Ihr Charakteristisches lange zurückhalten.

Es kommt nicht . . . es kommt nicht . . . da! Es ist Ihnen, ohne daß Sie es wissen, ein Aperçu entfahren, noch dazu eines aus Ihrem innersten Wesen heraus. In den Augen des Zusammenkünftlers flammt das Feuer des Verständnisses auf, er schleckt seinen Bleistift ab und schreibt darauf los.

Sie sind festgenagelt, mein Lieber; man hat Sie.

Sagte ich schon, daß Wien die Stadt dieser »Zusammenkünfte« ist? Wenn nicht, dann möchte ich es hiermit nachgeholt haben.

In Deutschland werden fast nur Staatsmänner ausgebohrt, und jedenfalls geht man mit dem Experiment nicht unter Richard Strauß hinunter.

Diesem begabten Musiker sind allerdings schon viele Würmer aus der Nase geholt worden, daß es verwunderlich erscheint, wenn noch einer drin sein sollte.

Aber reden wir von Wien! Das ist die Stadt, wo immer jemand mit einem zusammenkommt. Man braucht keinen Rosenkavalier vertont zu haben, es genügt, daß man vom zweiten Stockwerk herunterfällt, oder ein aussterbender Fiaker ist, um über seine Weltanschauung oder gehabte und noch habende Schmerzen eine druckreife Meinung äußern zu dürfen.

Wenn im Deutschen Reiche ein Mann aus dem Volke von einem Automobil überfahren wird, so erscheint bei dem Verunglückten zuerst der Arzt, in Wien aber der Zusammenkünftler.

»Wöiches woarn Ihre Gedanken, als Sie bemerkten, daß das Rad über Sie hinwegginge?«

»Woarn Sie im erst'n Schmärz bewußtlos?«

»Wöiches woarn Ihre Gefiehle im Hinblick auf Ihre Gattin und die zahlreichen Kinder?«

Ein geschulter Wiener wird diese Fragen immer so beantworten, daß aus seinem Schmerzenslager ein Duft von Treuherzigkeit in die Zeitung weht, und wenn das Malheur in der inneren Stadt passiert ist, wird er nicht verfehlen, den Stephansturm in rührende Beziehung zu seinem überfahrenen Zustande zu bringen.

Aber der Fremde steht einem Zusammenkünftler denn doch etwas hilflos gegenüber.

Ich denke dabei nicht gerade an einen sich ereignet habenden Unglücksfall, es ist schon bitter genug, wenn jemand zu einer Vorlesung oder zur Aufführung seines Theaterstückes in die Donaustadt reist. Hier gilt also das, was ich von der Hausmarke sagte. Die Redaktion sagt ihrem galizischen Kundschafter, daß der Mann sarkastisch sei, regierungsbissig, respektlos.

Also muß etwas auf diese Eigenschaften Bezug-Habendes in den Bericht.

Der fremde Schriftsteller steht auf, zieht zunächst einmal die Unterhosen an, denkt an gar nichts und gähnt.

Es klopft.

Ein Zimmermädchen schiebt durch die Türspalte eine Visitenkarte herein.

»Siegfried Parketöl, Vertreter der ›Interessanten Welt‹.«

Was will man machen?

Der Fremde läßt Herrn Parketöl bitten. Und nun kommt ein kleiner Mann herein, von fleischiger Nase und mit klugen, listigen Augen, Augen wie die einer Kanalratte.

Der Zusammenkünftler.

Er hat sich seine Rolle ausgedacht; er wird volkstümlich und vertrauenerweckend sein.

»Guat Murg'n! Särvus!«

Er blinzelt den Fremden an, als erwarte er schon im Gegengruß etwas Sarkastisches, Respektloses, Regierungsbissiges.

Es kommt nichts.

Der Fremde ist bloß höflich.

»Wöiche besonderen Verhältnisse haben Sie im Aage gehabt bei der Verabfassung Ihres neien Stückes?«

Der Fremde sagt, er habe nur ganz allgemein, verstehen Sie, und so weiter.

»Oba bittä!«

Herr Parketöl lächelt vertrauenerweckend. Ihm gegenüber sollte man nicht so zurückhaltend sein.

Der Fremde versteht ihn nicht.

Er glaubt wirklich, daß er Daten für die Literaturgeschichte deponieren müsse.

»Ich wollte also den Konflikt schildern, der sich einerseits aus der Überspannung des Pflichtgefühls, andererseits aus menschlichen Leidenschaften . . .«

»Ah wos! Ah wos!«

»Wie?«

»Liaba Freind! Vor mir brauchen S' Ihnen oba würklich keine Resärve aufzuerlegen!«

»Ja, ich verstehe nicht . . .«

»Also sagen S' ma nur dos: Wöiche Überspanntheiten und von wöicher Regierung haben Sie geißeln wohlen?«

»Regierung?«

»Oba jo! Lieba Freind, net woah, das Publikum erwoatet

von Ihnen dennoch eine gewisse Satire, etwas Pikantes, etwas Prickelndes ...?«

»Sie wollten doch wissen, was ich in diesem Stücke ...«

»No freili!«

»Wie gesagt, ich wollte in dramatischer Steigerung den Konflikt beruflicher und menschlicher Gefühle ...«

»Jetzt hören S' oba auf! Mir können Sie dos würklich sag'n, gegen wöiche Regierung Sie Ihre satierische Geißel geschwungen haben.«

»Davon ist in diesem Stücke also wirklich nicht ...«

»Wem erzählen S' denn dos, lieba Freind? Wann i a Konflikt hamm will, net woa? Oder eine dramatische Steigerung, nachdem geh ich zum Schönherr Koarl oder zum Hofmannsthal, aber von Ihnen erwoatet man doch was anderes, so a bisserl wos Despektierliches. Hm?«

Der Fremde versteht nicht.

Obwohl ihm Herr Parketöl auf die Schulter klopft und mit jeder Minute herzlicher und familiärer wird, kommt ihm nichts Respektloses aus. Er kennt weder seine Rolle noch seine Pflicht gegen einen Zusammenkünftler.

Parketöl horcht angestrengt.

Jetzt? Jetzt?

Nichts.

Er geht niedergeschlagen weg.

Denn was hilft es ihm, daß er am selbigen Tag in die »Interessante Welt« schreibt, er habe den fremden Dichter in sprühender Laune angetroffen, und habe dieser auch sowohl bezugnehmend auf das neue Stück als im allgemeinen nach allen Seiten hin seiner bekannten Satire die Zügel schießen lassen.

Das glaubt ihm kein Zusammenkünftler, also kein Wiener. Er hätte was Prickelndes bringen müssen.

Der Lämmergeier

I

Vor dem Wirtshause am schönen Gundelsee ging es heute hoch her. Aus der ganzen Gegend hatten sich die Landleute zusammengefunden, um das Namensfest des hl. Ignatius in altherkömmlicher Weise zu feiern.

Krämer hatten fliegende Buden aufgeschlagen, in welchen sie seidene Tücher für die schmucken »Dirndeln« und lederne Hosen für die strammen »Buam« verkauften. Hier hielt ein phantastisch gekleideter Araber Rosenkränze und »Rosen von Jericho« feil; dort bot eine alte Frau große Herzen aus Lebkuchen den kichernden Mädchen an.

Zwischen den Buden drängte und stieß sich die froh bewegte Menge. Hochgewachsene Burschen mit kühnen Gesichtern, dralle Mädchen in reichgestickten Miedern, alte Mütterchen, welche noch die historischen Pelzhauben trugen, so wogte es durcheinander.

Die Tische vor dem Wirtshause waren bis auf den letzten Platz besetzt. Unter einer mächtigen Linde saßen die Honoratioren, lauter reiche Bauern, deren Mienen trotzigen Hochmut und eiserne Festigkeit verrieten.

Sie unterhielten sich von den Ereignissen, welche sich draußen in der Welt abspielten, und sprachen manches ernste und gewichtige Wort.

Der Freihofbauer vom Freihof, Ignatius Rammelsteiner, fand das meiste Gehör.

»I woaß net«, sagte er, »was mit dem Dreyfuas is. Ob s' 'n eppa auslassen, oder ob s' 'n eppa drin g'halten. De G'schicht ko ma b'schaugen, wia ma mog. Bal da Dreyfuas schuldi is, nacha ham s' recht, daß s' eahm g'halten, aba bal er unschuldi is, nacha is a Gemeinheit.«

»Recht hat er«, murmelte ein ehrwürdiger Greis, dessen weiße Locken in jugendlicher Fülle unter dem grünen Hut hervorquollen.

»Ja, da Freihofbauer!« sagte wieder ein anderer, »dös is a Mo! An solchen gibt's net glei wieda in unsere Berg herin. Was der sagt, hat Hand und Fuaß!«

»Deswegen hat er's aa zu was bracht«, erwiderte der Greis. »Schaug an Freihof o, Toni, wia r'a dasteht auf stolzer Höh. Justament wia r'a Königsschloß!«

»Und dös Rindviech! Und dös Heu und Grummet!« fiel ein Dritter ein. »Wer amol an Freihofbauern sei Loni heirat, der ko von Glück sagen.«

Der Freihofbauer nahm diese Ausbrüche der Bewunderung ruhig hin. Keine Muskel in seinem ausdrucksvollen Gesichte verriet, daß er sich geschmeichelt fühlte.

Er wartete ruhig, bis sich die Aufregung gelegt hatte, und fuhr dann bedächtig, jedes Wort betonend fort:

»A Franzos is a Franzos! Und a Boar is a Boar. Bei uns herin waar da Dreyfuas entweder verurteilt worn oder freig'sprocha. Denn bei ins im Boarnland, da steht das Recht so fest und ewi wia insere Berg. Wir halten fest zu insern Kini und sein Haus ...«

In diesem Augenblick erbleichte er, und seine Falkenaugen flogen zu einem Tische hinüber, wo Burschen und Mädchen sich um einen Zitherspieler geschart hatten.

»Herrgottsakrament, mit wem speanzelt denn da mei Loni?« murmelte er mit vor Wut erstickter Stimme und eilte mit großen Schritten zu der Gruppe hinüber. Dem Zürnenden bot sich ein Anblick, der jeden unbeteiligten Zuschauer entzückt hätte.

Am Tisch saß ein bildschöner Bursche; der keck zurückgeschobene Hut ließ die pechschwarzen Locken sehen, das martialisch geschnittene Gesicht war tief gebräunt, ebenso wie die offene Brust; die braunen Augen blickten hell und lustig in die Welt hinein.

Und nicht minder schön war das blonde Mädchen, welches zärtlich den Arm um den Hals des Burschen legte und ihm selig in die Augen schaute.

Der bäuerliche Adonis hielt auf seinen Knien eine Zither, auf der er leise einige Akkorde griff, während er den Kopf zurückbog, um dem blonden Mädchen einen Kuß auf die frischen Lippen zu drücken. Jetzt schwang das Mädchen mit der linken Hand fröhlich einen Maßkrug gegen die Zuschauer, und beide begannen mit glockenreinen Stimmen zu singen:

> »Oba so zwoa, wia mir zwoa,
> Dös gibt's ja net glei.
> Duliä, dulio, duliä – – –«

»Jessas, da Voda!« kreischte das Mädchen plötzlich laut und blickte zitternd in das zornige Gesicht des Freihofbauern, der sich rasch durch die Zuschauer drängte.

»Jawohl, dei Voda! Du ehrvergessene Dirn! Hab i di deswegen aufzogen in da Furcht Gottes und der Heiligen, daß du mir, mir, an Freihofbauern vom Freihof, dö Schand o'tuast und hängst di öffentli an so an Lumpen, so an Bazi hi? Mach daß d' hoam kimmst, du ... Mir reden no a Wortl mitanand! ... Du Luada! ...«

»Voda, Voda! Red net so«, keuchte das Mädchen, »über mi derfst sag'n, was d' magst. Dös is dei guat's Recht. Aber an

Seppi derfst net schimpfirn. Er ist mei Bräutigam vor Gott und da Welt! I hab mi eahm antraut durch an heiliga Schwur. Und ich brich den Schwur net, Voda!...«

»Wos? Herrgottsakrament!...«

»Fluach net so gotteslästerlich, Freihofbauer«, fiel jetzt der Seppl ein, »und koan Bazi muaßt mi net hoaßen! I hob ehrliche Händ und a Paar starke Arm. Auf dena will i mei Loni tragen durch dös Leben, daß s' an koa Stoanl net anstößt. Dei Geld brauch i net, Freihofbauer vom Freihof!«

Mit stolz erhobenem Haupte schritt er durch die Menge, nachdem er noch lange und innig seinem Schatze in die Augen geblickt hatte.

Auch die Zuschauer entfernten sich und ließen den zürnenden Alten allein mit seiner Tochter.

»Machst net glei, daß d' hoam kimmst, du Loas? Machst it, daß d' hoam kimmst?« knurrte der tiefverletzte Vater. »I trink no a Maaß a zwoa, nacha kimm i aa und zünd' dir a Liacht auf, du schelchaugets Weibsbild!« – – –

II

Der Freihof lag friedlich und still in der sternenhellen Sommernacht. Das Mondlicht stahl sich zitternd durch den dunklen Tannenforst und legte sich breit auf die duftenden Wiesen.

Ein leiser Pfiff unterbrach die Stille. Ein Schatten huschte um das Haus, dann hörte man oben ein Fenster klirren.

»Loni, bist a's du?«

»Ja, i bi's, moi herziga Bua. Was willst no so spat auf den Abend?«

»Schau, Loni, mir hat's koa Ruah net lassen, daß mi dei Voda so hart g'redt hat. In mir is g'rad, als wenn ei'wendi a Feuer brenna tat. O, mei liaba Schatz, jetzt muaß i furt vo dir. I roas' ins Amerika hintri zum Buffalo Bill.«

»Mariand Josef, Seppl, tua net freveln...«

»Na, Loni, des is b'schlossen. Was tua denn i no auf dera Welt, wann i di net haben derf? Inser Herrgott woaß, wia i di liab hab! Du bist des Höchste g'wen, des wo i kennt hab. Zu dir hon i aufg'schaut wia zua r'a Heilingen. Du bist da Leitstern g'wen in meinem Leben, du hast mi g'halten, du ganz alloan. Jatzt bin i nix mehr, bal i di nimma hab. Koa Reh im Wald is so valassen als wia'n i.«

»O, mei liaba Bua!...«

»Ja, Loni, schaug', often hon i mir denkt, wia des Glück, des unmenschliche Glück über mi kemma is, ob i dei Liab denn wert bi. Bal i so in deine veigerlblauen Augen g'schaugt hab, is mir gnetta so g'wen, als wia wann da heilige Petrus an Himmi aufmachet. Und jatzt is alles gar, jatzt is aus und gar. Jatzt muaß i zu de Hindianer.«

»Seppi, Seppi. O du liaba Himmivoda, is denn mögli, daß a Menschenherz a solchenen Schmerz aushalten ko. I stirb, bal i di nimma siech, Seppi. Na kimmst auf mei Grab und bringst ma rote Nagerle und Almrösein, wia's zua Lebzeiten . . .«

»Loni, woaßt wos? Geh du mit mir! I hob a Paar starker Arm, i vodean scho, was ma braucha; a kloane Hütten und a groß Glück . . .«

»Na, Bua, das kon i net. Dös waar a Sünd'. Schaug, wann mei Voda aa net recht hat, so derf i do nix toa genga sein Willen. Er is mir amol g'setzt vom Himmi als mei Voda . . .«

»Ja, wohr is, Loni. Du hast recht. I bitt di um Vazeihung, daß i so an Gedanken hab fassen kinna. Du hast recht. Das heilinge Gebot sagt: Du sollst Voda und Muatta ehren, auf daß es dir wohl ergehe und du . . . Au, au! Herrgottsakrament! . . .«

»Jessas Bua! Wos host denn? Wos host denn?«

»Au! hör do auf! Dei Voda, de b'suffene Sau is do . . .«

»Gel, hob i di dawischt, du Herrgottsbazi, du ganz vadächtiga! Jetzt hau i di amol her, daß 's a Freud is . . . Wart, Bürschei! . . .«

Der Freihofbauer hatte sich an das Haus herangeschlichen und schlug mit voller Kraft auf das Sitzleder des unglücklichen Burschen ein, der zwischen Himmel und Erde von der Altane herunterhing.

Zorn, Entrüstung, väterlicher Schmerz verstärkten seine Kraft; alle diese Gefühle legte er in die Prügel hinein. Außerdem war er so betrunken, daß er bei jedem Hiebe in das Stolpern kam.

Seppl ließ sich zu Boden fallen und rannte blind vor seelischem und körperlichem Schmerz davon, dem Abgrunde entgegen, der gerade hinter dem Freihofe zum Gundelsee hinunter gähnte.

Loni schrie verzweifelt, auch der Freihofbauer vergaß ernüchtert seinen Zorn und starrte dem Unglücklichen nach. Da . . . ein Schrei, ein Fall! . . . dann nichts mehr! . . .

Der Freihofbauer blickte zum Nachthimmel empor, entblößte langsam das Haupt und murmelte mit erstickter Stimme:

»Gott sei der armen Seele gnädig. Vo da drunt kimmt koana mehr aufa.«

Im Zimmer oben lag Loni, bewußtlos; aus einer kleinen Wunde an der Stirne sickerte das Blut – – –

III

Vor dem Wirtshause am Gundelsee saß auf einem Stuhle ein bleicher Mann. Den Arm trug er in der Schlinge, um die Stirne war ein schwarzes Tuch geschlungen.

Es war – Seppl!

Über ihn beugte sich Loni und redete ihm liebreich zu, die stärkende Suppe zu essen. Der Kranke schlug die Augen auf; mit verklärtem Gesichte blickte er auf die weibliche Erscheinung.

»Wo bin i denn?« flüsterte er. »Bin i beim liab'n Himmivoda? Und hot er di aa scho g'holt, du liab's Deandl? . . .«

»Seppi, du bist net g'schtarben«, schluchzte Loni, »du bist no am Leben, du bist no auf dera Welt, de jatzt erscht schö werd für di und mi! . . .«

»Loni, is dös wohr? Is dös wohr?« flüsterte der Kranke.

»Ja, Seppl, und siagst, dort kimmt da Voda, der gibt ins an Segen . . .«

Langsam nahte sich der Freihofbauer. Die eine Nacht hatte seine hohe Gestalt gebeugt und sein Haar gebleicht. Seine Hände zitterten an dem verhängnisvollen Stocke, als er den bleichen Burschen vor sich sah.

»Seppl«, sagte er, »i hob dir Unrecht to. I ko des alles net guat macha. Aber des beste, des liabste, wos i hob auf dera Welt, des gib i dir – dort, mei Loni!«

»Freihofbauer, du bist an edla Mensch!« sagte der Kranke, »an deiner Loni will i des guate vergelten, wos du mir to hast . . .«

Lange verharrte die Gruppe, zu welcher sich inzwischen der Wirt und ein fremder Herr gesellt hatten, in schweigender Rührung.

Der Freihofbauer unterbrach die Stille.

»Jatzt sog mir nur grod, Seppl, wia is des mögli, daß du no am Leben bist von dem jachen Fall? Do muaß insa Herrgott a Wunder to hamm.«

»Des hot er aber aa«, erwiderte der Kranke. »Siegst, Baua, wia i vo dir wegg'stürzt bi, is auf oamol schwarz vor meine

Augen worn, da Boden is mir unter die Füaß vaschwunden, und i fall in den klaftertiafen Abgrund.

I hob Reu und Leid g'macht, und hob mi in mei Schicksal ergeben.

Da g'spür i über mi im Fallen an Flügelschlag, und in den Augenblick packt mi was fest bei meiner buchsbaamen Hosen, und krallt si ei, und tragt mi weg. A Lämmergeier is g'wen, a mentisch großer; der hot mi wohl för a Gambs g'halten oder so was. Und so g'fährli des Viech aa sunst in insere Berg doherinna is, desmal is da Raubvogel mei Retter g'wen. I hob no g'spürt, wia r'a tiafer und tiafer mit mir weg g'stricha is. Auf oamol hon i wieda an Boden g'spürt, und nacha woaß i nix mehr.«

»Des ander woaß i«, fiel der Wirt ein, »mei Knecht is über d' Almwiesen ganga und siecht, wia da Geier was am Boden fallen laßt. Er schreit und lafft zuawi, und find zu sein Schrecken an Seppi . . .«

Der Freihofbauer hatte schon längst den Hut abgezogen. Tränen liefen über seine gebräunten Wangen, als er jetzt die Augen zum Himmel aufschlug und mit tiefer Stimme sagte: »Ja, des is wahrli a Wundal!« Auch der Fremde hatte in sichtlicher Rührung die Erzählung gehört. Er trat jetzt vor und sagte: »Härn Se, nächst Gott verdanken Sie Ihre Rettung der ledernen Hose, die das alles ausgehalten hat. Ei chal!«

Loni aber beugte sich über ihren Bräutigam und küßte den Geretteten lange und innig.

Eine psychologische Studie

Ich heiratete also meine nunmehrige Ehegattin Marie am 4. Mai 1903. Ich hatte mich zu diesem Schritte nach reiflicher Überlegung entschlossen. Was man auch immer gegen die Gründung des eigenen Hausstandes einwendet, so ist doch schwerlich zu leugnen, daß sie den Vollwert des Mannes bestimmt und seine Beziehungen zum Staate und zur menschlichen Gesellschaft richtiger gestaltet.

Erblickte ich schon hierin ausreichende Gründe zur Verehelichung, so kam noch hinzu, daß ich an Marie die Ansätze einer hübschen Bildung bemerkte, welche mich neben ihren häuslichen Tugenden zur Annäherung bewogen.

Mein Antrag wurde mit sichtlicher Freude angenommen, da ich teils durch mein nicht unbeträchtliches Vermögen, teils durch meine staatliche Stellung dem Mädchen eine sichere Zukunft bieten konnte.

Die vorbereitenden Schritte waren bald getroffen, und, wie gesagt, am 4. Mai trat ich in den Stand der Ehe. Ich muß hier eines Ereignisses gedenken, welches zwar nicht so sehr für die Öffentlichkeit bestimmt sein dürfte, immerhin aber seiner Eigenartigkeit wegen der Erwähnung nicht unwert ist.

Ich befand mich nämlich am Vorabende meiner Hochzeit in einer sonderbaren Lage. Strenge Erziehung und tüchtige Grundsätze hatten mich keusch erhalten.

Ich durfte von mir sagen, was Tacitus an unsern Voreltern rühmt, daß ich als Jüngling kein Weib berührte. Nun konnte ich mir aber nicht verhehlen, daß ich den Anforderungen der Ehe immerhin so viele Kenntnisse entgegenbringen mußte, daß ich nicht in dem Nötigsten unerfahren schien.

Es stand zu erwarten, daß meine Braut mütterliche Lehren erhielt, die sie befähigt hätten, meinen gänzlichen Mangel an Wissen zu erkennen.

Und das wäre vielleicht geeignet gewesen, die natürliche Ehrfurcht des Weibes vor dem Manne zu verringern, wenn nicht zu ersticken.

Diese Erwägungen waren stark genug, meine schamhafte Zurückhaltung zum Schweigen zu bringen, und ich beschloß, meinen Jugendfreund, den Neuphilologen Dr. Ernst König, zu befragen.

Man erzählte nämlich von ihm, daß er als Student mit der Tochter seines Hauswirtes Unerlaubtes getrieben habe. Auch war er schon einige Male in Paris gewesen, und es stand deshalb anzunehmen, daß er in dieser verbuhlten Stadt nicht ohne Anfechtung geblieben war. An ihn wandte ich mich also um Rat.

Es fiel mir keineswegs leicht, da ich seinen Spott fürchtete, und da überdies eine klare Fragestellung durch die Natur des Gegenstandes ausgeschlossen erschien.

Ich begab mich in seine Wohnung und sagte ihm, daß eine ungewohnte Lage mir den Mut gebe, das Außergewöhnliche zu tun. Ich sagte, daß ich Vertrauen hätte zu seiner Erfahrung, und bat ihn, mich in die Grundprinzipien einzuweihen.

Wie erstaunte ich aber, als er mir sagte, daß ihm die Sache

nicht weniger fremd sei als mir, und daß alle Gerüchte über sein ausschweifendes Leben der Wahrheit entbehrten.

Oft habe ich ihn des Verdachtes halber in meinem Innern getadelt; jetzt aber regte sich in mir der Wunsch, er hätte lieber die Verfehlung begangen.

»Lieber Freund!« rief ich aus, »was soll ich beginnen? An wen mich wenden? Ich fürchte fast, diese Unerfahrenheit wird mir zum Schaden gereichen!«

»Wie sollte sie das?« antwortete er. »Ist die Keuschheit eine Tugend, so wird sie als solche und durch sich selbst niemals Übles wirken.«

»Zugegeben«, sagte ich, »aber in der Ehe gilt ihr Gegenteil als Pflicht. Zu ihrer Erfüllung ist jedoch nicht allein der Wille, sondern auch Kenntnis vonnöten.«

Dieses Argument überzeugte ihn, und er gab mir weiterhin recht, daß es auch in diesen Dingen dem Manne zukomme, der Lehrer, nicht aber der Lernende zu sein. Wir schwiegen eine Weile.

Endlich reichte er mir die Hand und sagte: »Mut, Adolf! Vielleicht lehrt es dich die Natur. Sie, die so viele zum Laster treibt, kann nicht schweigen, wenn ihre Hilfe der Tugend zukommen soll.«

Das war gut gemeint, aber ich fühlte, daß ich mich nicht auf das Ungewisse verlassen durfte, und ich fragte Ernst, ob er keinen wisse, der sichere Auskunft geben könne und dabei des Vertrauens würdig sei.

Er nannte diesen und jenen; doch gegen jeden hatte ich etwas einzuwenden.

Plötzlich lächelte er freudig und rief: »Warum dachte ich nicht gleich an ihn? Niemayer ist ein Mann von echtem Schrot und Korn. Überdies ist er Professor der Zoologie und sohin auch wissenschaftlich mit der Sache völlig vertraut.«

Der Name bedeutete für mich eine Offenbarung. Auch ich kannte den angesehenen Gelehrten und wußte, daß er von gefaßtem und ernstem Wesen war.

Ich begab mich sogleich zu ihm und hatte das Glück, ihn in seiner Wohnung zu treffen.

Er hörte mich aufmerksam an.

Als ich geendet hatte, blickte er längere Zeit sinnend zur Decke des Zimmers empor und sagte dann: »Junger Mann, Sie hatten recht, das Paarungsgeschäft als ein eminent wichtiges zu betrachten und theoretisch zu untersuchen. Ich bin soeben in einer großen Arbeit über die Fortpflanzung gewisser Kerbtiere begriffen, und ich sage Ihnen, daß ich ganz überraschende Neuheiten, ganz merkwürdige Neuheiten entdeckt habe. Da ist ja der Kollege Meinhold in Tübingen, welcher mich eines Irrtums zeih. Ha! ha! ha! Und dabei klebt dieser Mensch an längst überholten Ansichten und basiert auf Voraussetzungen, die ich genau vor zwanzig Jahren in meiner Habilitationsschrift widerlegt habe. Was sagen Sie dazu?«

Ich sagte, daß ich gegenwärtig mich nicht so sehr um die Fortpflanzung der Kerbtiere zu kümmern vermöge, wenn schon mir diese Materie äußerst wissenswert erscheine, allein in Anbetracht meiner nahestehenden Vermählung sei ich um anderes besorgt. Und ich wiederholte mein Anliegen.

Der würdige Gelehrte antwortete, daß ihn dieses in Erstaunen setze. Ich beruhigte ihn und versicherte der Wahrheit gemäß, daß ich bei ihm nur die theoretische Kenntnis vorausgesetzt hätte, daß aber in meinen Fragen kein unziemlicher Zweifel über seinen Lebenswandel enthalten sei. Meine Worte trugen den Stempel der Aufrichtigkeit und hatten auch den Erfolg, daß Dr. Niemayer seinen aufsteigenden Unwillen vergaß.

Ja, er wurde gegen den Schluß unserer Unterredung sichtlich freundlicher und schien geneigt, mein Vertrauen als Beweis der Achtung aufzunehmen.

Er bedauerte jetzt, mir keine Aufschlüsse geben zu können, und sagte: »Ich habe nie über diese Sache nachgedacht. Sie schien mir zu vulgär, zu allgemein bekannt. Es ließe sich gewiß ein Analogon mit den Säugetieren finden, aber Sie verstehen, wenn man zwanzig Jahre die Paarung der Kerbtiere wissenschaftlich beleuchtet, so findet man kaum Zeit, anderes zu beachten. Ich werde aber darüber nachdenken, und sollte ich Geeignetes finden, so werde ich nicht verfehlen, Ihnen darüber Mitteilung zu machen. Allerdings müßte ich erst mit meiner Arbeit fertig sein.«

Ich dankte und ging.

Und ich gestehe, daß ich in übler Stimmung war, als ich mich wieder auf der Straße befand.

Früher schien mir häufig die Versuchung so nahe zu liegen, daß ich ihr aus dem Wege ging, jetzt aber war sogar die Kenntnis dieser Dinge so weit entrückt, daß ich sie nicht erlangen konnte.

Meine Seele geriet in einen ganz erheblichen Zwiespalt, und ich war fast geneigt, für einen Fehler zu halten, was ich lange

Jahre als Tugend empfunden und geübt hatte. In solchen Zweifeln begab ich mich nach Hause und ging mit mir selbst zu Rate.

Ich war entschlossen, niemanden mehr in das Vertrauen zu ziehen, da mir ein wiederholtes Fehlschlagen allzu peinlich erschienen wäre. Und schon dachte ich, gemäß den Worten meines Freundes König, die Stimme der Natur walten zu lassen, als mein Blick zufällig auf die Bände des Konversationslexikons fiel.

Es war ein rettender Gedanke. Zwar fand ich nicht alles, was ich suchte, und ich mußte bemerken, daß gerade das Wesentliche als bekannt vorausgesetzt war.

Immerhin aber konnte ich mir eine Fülle technischer Ausdrücke aneignen, die mich sicherlich in den Stand setzten, meiner Frau eine umfassende theoretische Kenntnis zu zeigen. Und dies konnte ja für den Anfang genügen, wenigstens zur Wahrung des Scheines. Ich schrieb die Worte auf ein Blatt Papier und ruhte nicht, bis ich alle meinem Gedächtnis einverleibt hatte.

Dieses Verfahren erwies sich als richtig, denn ich konnte den folgenden Abend, als ich mit Marie zum ersten Male allein war, meine natürliche Unruhe bemänteln und kam über gewisse Schwierigkeiten glücklich hinweg.

Übrigens schenkte ich in jenen Tagen dem deutschen Vaterlande einen Sohn.

Der Münzdiebstahl oder Sherlock Holmes in München

Eine Kriminalgeschichte

Der Zug hielt im Münchner Bahnhof. Aus dem Coupé zweiter Klasse stieg ein Mann mit energischem, aber glattrasiertem Gesichte. Er faßte einen dicken Menschen ins Auge, der nach Bier roch, einen Havelock trug und auf dessen Hute ein Gemsbart schaukelte.

Der Glattrasierte sagte: »Sie sind der Münchner Kriminalschutzmann Schmuttermaier.«

»Jawoi«, sagte dieser, »aba woher wissen Sie ...?«

Der Glattrasierte lächelte.

»Bier, Havelock, Gemsbart«, sagte er.

Schmuttermaier verbeugte sich und fragte: »Und Sie san da...?«

»Sherlock Holmes«, erwiderte der Glattrasierte.

»Der berühmte Detektiv«, murmelte Schmuttermaier. Und dann sagte er: »Also mir soll'n mitanand die Münzdiab außabringa.«

»Hm«, sagte Sherlock Holmes; »übrigens fahren wir sofort an den Tatort. Unterwegs erzählen Sie mir, was Sie bis jetzt getan oder gefunden haben.« Fünf Minuten später saßen sie in einer Droschke.

»Was haben Sie schon getan?« wiederholte Sherlock Holmes.

»Was mir to hamm?« fragte Schmuttermaier.

»Ja.«

»Also zuerscht«, sagte Schmuttermaier, »zuerscht hamm mir uns g'wundert, net? Nacha hamm mir de Sach' ins Aug' g'faßt, und nacha hamma recherchiert.«

»Und das Ergebnis?«

»Net viel«, sagte Schmuttermaier. »Seh'n S', Herr Kollega, i hab sofort die Meinung g'habt, daß der Täter, vulgo der Diab, no amal kimmt. Also hamm mir, der Schandarm Scheiblhuaba und i, mir hamm uns hinter da Münz versteckt. Richtig, nach Zwölfi kimmt a Mensch daher und bleibt steh', schaugt ganz verdächtig umanand und druckt si hinter an Mauervorsprung. Mir, der Scheiblhuaba und i, raus aus'm Versteck und pack'n den Kerl. Aba, leider, es is ein pensionierter Major g'wesen, der wo im Hofbräuhaus war und hier bloß verbotenerweise das Wasser abg'schlagen hat. No, aufg'schrieb'n hamm ma 'n natürli aa, weil dös ja unsere eigentliche Aufgabe is, net wahr, aba da Münzdiab, leider, war er nicht. No, hernach hab' ich mir gedacht, daß der Lump, vulgo der Diab, sich aufbringt durch einen verdächtigen Aufwand, und folgedessen hab' ich den städtischen Abortfrauen befohlen, sofort eine Anzeige zu machen, falls ein Mann aus dem Volke für zehn Pfennige, anschtatt für ein Fünferl sich aufsperren laßt.

Und nacha hab' i die menschenleeren Gegenden, also de Pinakothek und de Glyptothek im Aug' behalten, weil vielleicht dort hinter an Bild oder hinter a Figur dös gestohlene Geld versteckt werd. Es hat si aba bis jetzt überhaupts niemand dort sehg'n lass'n. Oha!«

Schmuttermaier hielt inne, weil der Wagen mit einem Ruck zum Stehen gebracht war.

»Mir san ja scho da«, sagte er und stieg aus. Sherlock Holmes folgte ihm, nicht ohne nach allen Seiten hin aufmerksame Blicke zu werfen.

Sie standen jetzt über dem trockenen Bachbette. Im Schlamme waren Spuren von riesigen Stiefeln zu sehen, die kreuz und quer liefen.

Sherlock lächelte und sagte dann: »Ah, da war ja der Polizeipräsident schon da!«

»Jawoi«, entgegnete Schmuttermaier, »aba woher wissen Sie dös?«

Sherlock deutete auf die riesigen Fußtapfen.

»Der Dieb hat die Spuren nicht hinterlassen,« sagte er. »Ein Dieb ist vorsichtig. Ein gewiegter Kriminalbeamter war es auch nicht; der ruiniert nicht den Tatort. Also war es Ihr Polizeipräsident.«

»Is scho wahr«, sagte Schmuttermaier im höchsten Erstaunen. »Er is mit die Wasserstiefeln . . .«

»Gehen wir selbst hinunter«, sagte Sherlock und stieg in das Bachbett.

Seine Blicke wanderten ruhelos umher. Er deutete mit dem Stock auf einen Strumpf, der abseits lag.

»Was ist das?« fragte er.

»Dös is oaner von die Strümpf', in denen unser Staat 's Geld aufhebt«, sagte Schmuttermaier.

Plötzlich bückte sich Sherlock und hob eine kleine, gläserne Flasche aus dem Schlamme.

»A Brasilglasl!« sagte Schmuttermaier.

»Schnupft der Polizeipräsident?« fragte Sherlock.

»Aba do net aus an Brasilglasl!« warf Schmuttermaier ein.

»Hm!« machte Sherlock. »Gehen wir weiter.«

Schmuttermaier wies auf ein Loch in der Mauer. »Da is der Lump, vulgo der Diab, durchg'schloffa.« Sherlock zog ein Zentimetermaß aus der Tasche und nahm sorgfältig die Breite und die Höhe des Loches auf.

»Zweg'n was tean Sie . . .?« wollte Schmuttermaier fragen.

Aber Sherlock unterbrach ihn kurz.

»Gehen wir in den Münzraum!«

Sie gingen hinein.

Während Schmuttermaier in wortreicher Erzählung auf den Schrank wies und die Instrumente zeigte, welche man gefunden hatte, suchte Sherlock den Boden mit gierigen Augen ab.

Plötzlich bückte er sich und hob eine vergoldete Zigarrenbinde, mit denen die Importzigarren versehen sind, auf.

Ein triumphierendes Lächeln umspielte seine Lippen. »Wir haben ihn«, sagte er kurz.

»Wen?« fragte Schmuttermaier.

»Ihren Münzdieb!«

»Geh, zoag'n S' ma 'n!« höhnte Schmuttermaier, dem der fremde Detektiv nachgerade unangenehm wurde.

Sherlock Holmes blieb ruhig. Er sagte nur: »Ich kann Ihnen den Dieb nicht zeigen. Ich weiß vorläufig nur, *was* er ist, nicht wie er heißt.«

»A Lump is er halt«, sagte Schmuttermaier. »Dös wissen mir aa.«

»Er ist Soldat der hiesigen Garnison«, sagte Sherlock unbeirrt.

»Jetzt da balst net gehst! Woher wissen denn Sie dös?«

»Sehr einfach. Ich sehe es so genau, wie Sie irgendeine Sache sehn. Auf dem Wege der Logik.«

»Dös müaßten S' mir scho lerna . . .«

»Nicht möglich«, sagte Sherlock, »aber ich will Ihnen erklären, wie ich in diesem Falle die Entdeckung machte. Sie sahen das Loch unten, und Sie sahen das Brasilglas. Das Brasilglas zeigte mir, daß ein Altbayer die Tat verübte, denn ich glaubte ja nicht im Ernst, daß es Ihrem Präsidenten gehört. Das Loch aber ist sehr eng. Damit stand für mich sogleich fest, daß der Täter noch nicht 24 Jahre alt ist. Ein Altbayer mit 24 Jahren kommt nicht durch dieses Loch. Gut! Und hier haben Sie den Schlußbeweis!« Sherlock zeigte auf die Zigarrenbinde.

»Geh, hör'n S' auf!«

»Nur Ruhe!« mahnte Sherlock. »Und hören Sie! Diese Binde schmückte eine Importzigarre. Sie lesen hier ›Henry Clay‹. Wer raucht Importzigarren? Wer hat die Binde verloren? Ihr Präsident gewiß nicht; Beamte rauchen nicht über acht Pfennige. Ein Mann aber, der Importen kauft, stiehlt nicht; wer Importen rechtmäßig erhält, stiehlt auch nicht. Also ist der Dieb ein Mann, der Importen unrechtmäßig geschenkt bekommt. Wer ist das? Der Soldat, der sie von der Köchin erhält. Ergo der Dieb ist Soldat, steht hier in Garnison, und Sie brauchen nur in den Kasernen nachzuforschen. Damit haben wir ihn.«

Schmuttermaier war sprachlos; und sein Staunen wuchs ins Ungeheure, als die Recherchen ergaben, daß Sherlock Holmes, wie immer, mit unfehlbarer Sicherheit den Täter herausgefunden hatte.

Zwei Tage vor Mariä Lichtmeß wurde der Postsekretär Martin Angermayer zu München von einem echt bayerischen Schlaganfall derartig getroffen, daß er schon nach einer halben Stunde den Geist aufgab.

Seine Seele schickte sich jedoch nicht sogleich zur Reise an, sondern sie gab wohl acht, ob den irdischen Resten auch alle übliche Ehre widerfahre, und zählte und prüfte die Kränze, welche von einigen Verwandten, auch vom Stammtisch im Franziskaner, dem Verkehrsbeamtenverein und seinem Kegelklub gespendet wurden.

Sie bemerkte sodann noch mit Genugtuung, daß der Herr Postrat Leistl beim Begräbnis zugegen war, daß auch die Haushälterin Zenzi in Tränen zerfloß, und sie fuhr gen Himmel, indes ein Quartett des Männergesangvereins eine erhebende Weise sang.

Da saß nun Sekretär Angermayer im Vorraume des Paradieses und fühlte sich keineswegs so glückselig, wie man es nach den Schilderungen frommer Bücher eigentlich glauben sollte.

Schon daß er nackend war, benahm dem an Ordnung gewöhnten Beamten die Sicherheit, und es wollte das Gefühl, ein respektabler Mensch zu sein und auch als solcher zu gelten, nicht recht in ihm aufkommen.

Zudem fröstelte es den an überheizte Bureauräume Gewöhnten in dem Luftreiche, und der Verdacht, daß es von irgendwoher ziehe, quälte ihn nicht minder wie die Unmöglichkeit, jemanden zum Schließen eines Fensters auffordern zu können.

Denn dieser Vorhof des Paradieses war nach drei Seiten hin eigentlich offen, nur vom eigentlichen Himmel trennte ihn eine Wolkenwand, und zwischen den wundervollen Säulen, die ihn rings umgaben, konnte freilich die balsamische Luft ungehindert einströmen, und gleichermaßen von oben, da sie kein Dach abhielt.

Angermayer schickte seine Blicke mißmutig in das unendliche Blau, das sich über ihm wölbte, und in die rosigen Fernen, die sich zwischen den Säulen auftaten, und diese Unbegrenztheit war ihm fremd, und was ihm fremd war, das war ihm nun einmal zuwider.

Dann stand, seine Unbehaglichkeit zu steigern, eine Menge

von Leuten um ihn herum, die sichtlich nicht alle aus Bayern oder gar aus München gekommen waren.

Er konnte im Gegenteil bemerken, daß es Menschen aus aller Herren Länder waren, gelbe, braune, schwarze, Leute mit langen Haaren, wie sie spinnende Schwabinger tragen, Leute mit buschigem Wollhaar, Leute mit Zöpfen, kurzum, zumeist fremdartige Wesen, denen er nie hold gewesen war, und die meisten verdrehten ihre Augen verzückt und selig und benahmen sich auffällig.

Jedem einzelnen von ihnen hätte er in den Straßen seiner Heimatstadt verächtlich nachgeschaut unter bissigen Bemerkungen. Jedem hätte er aus seinem Schalter heraus Respekt beigebracht, aber hier, so mitten unter ihnen, war er hilflos und, was das Schlimmste war, er gehörte eigentlich zu ihnen oder schien wenigstens einer von ihnen zu sein. Dann: zeit seines Lebens war er kein Freund von Kindern gewesen, und ihre Unarten, die von nachsichtigen Eltern womöglich noch gepriesen werden, fielen ihm stets unangenehm auf, und er war nie geneigt, ihrer Unerfahrenheit oder ihrer Jugend etwas zugute zu halten.

Hier trippelten sie nun scharenweise vor seinen Augen herum und jauchzten, und niemand war da, der sie mit Strenge zur Ruhe gewiesen hätte, ja, als er einen Bengel, der ihm zu nahe kam, einen ungezogenen Fratz nannte, schüttelte ein langhaariger fader Kerl, der neben ihm stand, mißbilligend den Kopf.

Da drängte sich Angermayer unwirsch durch die Menge und stellte sich hinter eine Säule, um nur das Getue nicht mehr mit ansehen zu müssen.

Seine Gedanken kehrten sehnsüchtig nach der Erde zurück, wo gerade heute als an einem Donnerstage der Kegelabend stattfinden mußte, und er beneidete die Glücklichen um ihr harmloses Vergnügen.

Die Kollegen redeten gewiß von der Überbürdung des Amtes, bekrittelten die Leistungen der Vorgesetzten und erzählten, wie sie diesem und jenem die Meinung gesagt hätten, und sicherlich war auf diese Art die allergemütlichste Unterhaltung im Gange.

Vielleicht würden sie heute auch an ihn denken und wohl gar mit Bedauern seine Abwesenheit bemerken?

Er hatte freilich nicht das meiste zur Fröhlichkeit beigetragen, aber er war immer pünktlich zur Stelle gewesen und hatte sich jederzeit als eifriges Mitglied gezeigt, und wenn auf Zeit und Zustände geschimpft wurde, hatte es nie an seinem Beifall und seiner kräftigen Mitwirkung gefehlt.

Ach ja – München!

Angermayer seufzte tief, und der lästerliche Gedanke stieg in ihm auf, wie gerne er sich aus Elysium weg nach der bayerischen Hauptstadt versetzen ließe, und wie er bereit wäre, mit einem Kollegen zu tauschen.

Aber er war schon ein Pechvogel.

Auf Erden hatte man ihn oft übergangen, ihm nie die verdiente Beförderung zuteil werden lassen, und wie er dann schimpfend und nörgelnd und doch im Innern zufrieden sich mit seiner Sekretärstellung abfand, mußte er weg mitten unter die nackten, ekelhaften Schlawiner hinein – – –

»Angermayer!«

Er fuhr aus seinen Gedanken auf, als er seinen Namen mit einiger Ungeduld rufen hörte, und sah einen großen Engel am Himmelsportale stehen, der ungefähr so aussah wie ein Genius vom Oberammergauer Passionsspiel, und der jetzt die Hände vor den Mund hielt und wiederum den schallenden Ruf ertönen ließ: »Martin – Angermayer aus München!«

»I – ja!« antwortete mißmutig der Sekretär, »was wollen S' denn?«

»Vielleicht ist es Ihnen endlich gefällig, einzutreten?« schrie der Engel.

»I kumm scho«, knurrte Angermayer, und er schob sich langsam durch die Gaffer hindurch, die erstaunt über sein Zögern die Köpfe nach ihm umdrehten, und die noch überraschter waren, als sie der Genosse ihrer künftigen Freuden mit groben Ellenbogen beiseite schob.

»Da bin i. Desweg'n brauchen S' do net so plärr'n«, sagte der Sekretär zum Engel, der den merkwürdigen Gast mit leuchtenden kugelrunden Augen maß.

»Ich habe dich mindestens dreimal gerufen«, sprach er dann mit leisem Tadel.

»Vo mir aus sechsmal«, erwiderte Angermayer mit einer im langjährigen Schalterdienst erprobten Grobheit, und er setzte beinahe feindselig hinzu:

»Für de Arbeit wer'n Sie wahrscheinlich zahlt wer'n.«

»Dein Ton ist ungehörig«, sagte der Engel. »Hier ist ganz und gar nicht der Ort für solche Äußerungen, mein lieber Angermayer.«

»I bin net Eahna Liaber, verstengen Sie mich! Und d' Säu hamm ma aa no net mitanand' g'hüat. Und drittens bin i der königlich bayrische Sekretär, des mirken S' Eahna!«

»Das bist du gewesen! Und jetzt bist du eine Seele, und sonst nichts, und hast dich in die Hausordnung zu fügen.«

»Wo is denn Eahna Hausordnung? Wenn Sie a Hausordnung hamm, nacha schaugn S' zerscht, daß de Kinder net so umanandrolz'n und lassen S' de Schlawiner da d' Füaß wasch'n. Dös waar a Hausordnung, verstengen Sie mich, und dena können S' was vazähl'n von Eahnara Hausordnung, aba net an königlich'n Sekretär, der wo seiner Lebtag g'wißt hat, was si g'hört . . .«

»Ja, Michael!« rief es ungeduldig von drinnen.

»Gleich!« erwiderte der Engel und schob mit einer im Himmel sonst nicht üblichen Energie den streitsüchtigen Sekretär in das Paradies hinein.

Jeder andere wäre geblendet gewesen von dem schier undenkbaren Glanze, der hier strahlend ausgebreitet war, und jeder andere hätte verzückt dem unbeschreiblichen Wohllaute der in der Ferne singenden und musizierenden Engel gelauscht.

Allein Angermayer hatte sich schon von allem Anfang vorgenommen, hier nichts so übermäßig schön zu finden, und dann war er von Natur nicht überschwenglich, und dann war er noch verbittert durch seinen Streit mit dem Erzengel.

Also blickte er mürrisch darein und schnitt ein Gesicht, das deutlich fragte:

»Is dös all's?«

Vor ihm saß inmitten von schön gelockten Engeln ein unglaublich gütig lächelnder Greis, der eine dunkelblaue Toga trug, in welche goldene Schlüssel eingestickt waren.

Es war der heilige Petrus, der unserm Angermayer nunmehr freundlich zunickte und sagte: »Da bist du, mein Sohn! Sei willkommen in unserem Reiche!«

»Was sagst du?« fügte er bei, da der Sekretär etwas vor sich hin murmelte.

»Mi hätt'n S' scho no a Zeitlang drunt lass'n kinna. Es hätt ma gar net pressiert«, wiederholte dieser, und seine griesgrämige Miene wollte sich nicht aufhellen.

»Aber, Martin!« rief der Apostel, »du bist der erste, der an dieser Stelle nicht vor Freude jauchzt.«

»Mit'n Jauchz'n hab' i's überhaupts net, und i waar froh, wenn i drunt mein Grüabig'n hätt'.«

Petrus wandte sich lächelnd an die Engel, die neben ihm saßen.

»Seht da, ein Münchner, der sich erst an den Himmel gewöhnen muß!«

Und ernster sagte er zu Angermayer: »Nun geh' und freue dich und bedenke, daß manches in deinem armseligen Leben Strafe verdient hätte. Aber es ist dir Mitleid erwiesen worden.«

Der Sekretär merkte am Tone, daß der Heilige als Vorgesetzter gesprochen hatte, und er schwieg.

Ein lebhafter Jüngling mit hüpfendem Gange, der genau so aussah wie einer aus der Schwabinger Stefan George-Gemeinde, faßte ihn bei der Hand, indem er in singendem Tone sprach:

»Komm, seltsamer Geist, ich will dich führen.«

In dem Postsekretär regte sich wohl sogleich die grimmige Abneigung gegen die Art seines Begleiters, aber er war zu niedergedrückt, um die rechten Worte zu finden, und er schritt griesgrämig und schweigsam neben dem Engel einher.

Der wurde nun gesprächig und erklärte dem Neuling die Grundidee des paradiesischen Lebens.

»Du mußt wissen«, sagte er, »daß hier alles auf unendliche Fröhlichkeit gestimmt ist. In den obersten Regionen, wohin wir ja nicht gelangen, befinden sich die erhabenen Geister, welche in fortlaufenden Gesprächen ihrer unbeschreiblichen Freude Ausdruck verleihen. Die Heiligen befinden sich in Verzückung, die Engel musizieren, und du hörst ja die erhabenen Klänge des Konzertes, wir andern aber, zu denen du nun auch gehörst, bilden die Heerschar der Seligen, und wir haben die Aufgabe, nach unsern bescheidenen Kräften den Eindruck des höchsten Glückes hervorzubringen.

Zu diesem Zwecke erhält jeder eine Harfe.

Ich führe dich jetzt zu unserm Obersten, dem Engel Asrael, welcher sie dir verabreichen wird.«

»Was tua denn i mit a Harpfen?« unterbrach ihn Angermayer sehr unwirsch.

»Du mußt frohlocken«, sagte der Begleiter.

»M-hm, ja! Is scho recht! Weil i gar so guat aufg'legt bi, und überhaupts – i ko gar net Harf'n spiel'n – –«

»Du mußt nur in die Saiten greifen – siehst du, so . . .«

Der lebhafte Jüngling nahm sein Instrument, das an einem rosaroten Bande über seine Schulter hing, und klimperte ein wenig.

Dabei hüpfte er im Takte abwechselnd einige Male auf dem rechten und linken Fuße nach vorne und sang mit näselnder Stimme: »Ha–a–lä–ä–lu–u–jah ... Ha lalala – ha lälälä–u–u–ha–ha! ...«

Er hielt inne und blickte den Sekretär lächelnd an.

Der machte ein Gesicht, als wenn er saures Bier getrunken hätte.

»Wia hoaßt ma dös?«

»Das ist das Frohlocken der Heerscharen«, antwortete der Jüngling.

»Und Sie glaub'n«, sagte Angermayer, und ein bitterer Hohn spielte um seine Mundwinkel, »Sie glaub'n, daß i bei sowas mittua? I? Dös könna S' Eahna ja denk'n, daß i umanandhupf wia r'a spinneter Hanswurscht ...«

»Deine Sprache ist rauh«, erwiderte der Jüngling, »und dein Antlitz zeigt weder Ruhe noch Glückseligkeit, aber bald wird Harmonie dein Wesen verklären ...«

»De Sprüch mag i«, antwortete der erbitterte Postsekretär, und nach einer Weile fügte er hinzu: »Sie, passen S' auf, was san denn Sie früher g'wes'n?«

»Was ich ...?«

»Ja, was Sie bei Lebzeit'n g'wen san?«

»Ach so, als ich noch auf Erden wandelte?«

Und als Angermayer nickte, überflog ein seliges Lächeln der Erinnerung die Züge des langgelockten Jünglings, und er flüsterte mehr als er sprach: »Ich war Lehrer für rhythmische Gymnastik und harmonische Exterikultur.«

»Was is dös?« brummte sein Begleiter, »dös versteh' i net.«

»Ich lehrte die Jugend, sich rhythmisch bewegen und ...«

»Jetza!« schrie der Sekretär, »i hab ma's do glei denkt! A Schlawiner, a Tanzmoasta! Und von Eahna soll i was lerna, Frohlock'n oda so an Schmarrn? Jetzt hamm S' Zeit, daß Eahna verziahgn, sunst nimm i Eahna d' Harpfen und schlag Eahna umanand damit ...«

Der Jüngling entfloh mit einem Schreckensruf und ließ Angermayer allein zurück, mitten in einer Asphodeluswiese, auf die er sich nun hinsetzte, voll innerlichen Zornes über das Schicksal, das einen königlichen Sekretär dazu brachte, nakkend im Grünen zu weilen.

Er starrte grimmig vor sich hin und überdachte die Möglichkeiten, von hier zu entrinnen. Da sich ihm keine zeigen wollte, und da er sich immer mehr darüber klar wurde, daß seine Versetzung in diese Gegend eine definitive wäre, bestärkte er sich in dem Entschlusse, jede Zumutung abzulehnen, die mit seinem Charakter, seinen Neigungen und vor allem mit seiner Beamteneigenschaft nicht in Einklang . . .

Er wurde in seinem Gedankengange unterbrochen.

Zwei riesige Engel ergriffen ihn, jeder bei einem Arm, und entführten ihn so schnell und gewaltsam, daß seine Füße den Boden kaum mehr berührten.

Aber seltsam!

Angermayer empfand gegen diese Begleiter weit weniger Widerwillen als gegen jenen sanften Jüngling, und die Gestalten, die Gesichter, die Manieren dieser ungefügen Geister muteten ihn beinahe vertraut an, so daß er trotz der rasenden Schnelligkeit, mit der er vorwärts getrieben wurde, in höflichem Tone zu fragen versuchte:

»Sie entschuldig'n . . .«

»Halt's Mäu!« schrie der Engel zur Linken.

»Jegerl! A Landsmann!« rief der Angermayer erfreut und machte einen Versuch, stehen zu bleiben, aber er wurde mit unwiderstehlicher Gewalt fortgerissen, und so keuchte er atemlos: »Geh, sag'n S' mir doch, wo S' her san?«

»Wennst d'as schon wiss'n willst«, brüllte der Engel zur Rechten, »mir war'n Klosterhausknecht in Andechs . . .«

»Jessas, Andechs!« jauchzte der Sekretär, und wunderkühle Nachmittage hinter den Maßkrügen des Bräustüberls fielen ihm ein, und er schnalzte unwillkürlich mit der Zunge.

»Und an Backsteiner und an Radi!« setzte er die Reihe der seligen Erinnerungen fort.

Mit wie wenig kann ein Mensch doch glücklich sein, und zu was brauchte man ein solches Paradies, wenn man es auf Erden hatte!

Sein Herz fühlte sich hingezogen zu diesen groben Geistern.

»Was teat's denn mit mir, Leuteln?« fragte er beinahe zärtlich.

»Mir geb'n da nacha scho d' Leuteln!« sagte der Engel zur Linken.

»Außi schmeiß'n tean ma di«, rief der Engel zur Rechten.

Und kaum waren ihm die Worte entfahren, so fühlte sich Angermayer von einem heftigen Wurfe einige Stufen abwärts geschleudert mit dem Kopfe in gefrorenen Schnee fahren, und tausend Sterne flimmerten vor seinen Augen. Ein Tor fiel donnernd hinter ihm zu. – – Er erwachte von dem Falle und der kühlen Luft, die um ihn strich. Er rieb sich die Augen und sah an sich hinunter mit entzücktem Erstaunen, denn er war bekleidet, und er sah um sich und erkannte den lieben alten Rathausturm, dessen beleuchtete Uhr die dritte Morgenstunde zeigte.

Da merkte er froh, daß er im Bräuhause eingeschlafen war und alles nur geträumt hatte, bis auf den Hinauswurf.

Der war erlebte Wirklichkeit.

Kino

Personen:
Xaver Hierlinger, Melber
Sophie Hierlinger, seine Frau
Sopherl, die Tochter
Andere Münchner
Andere Münchnerinnen

I

Vor dem Kino

HIERLINGER: Herrgottzaggerament–zaggera! I hab's ja z'erscht g'sagt.

FRAU HIERLINGER: Was hast g'sagt?

HIERLINGER: Mit enkern Schmarrn, hab i g'sagt ... Dös waar ja a wahrs Unglück gwen, wenn i heut zu mein Tertl ganga waar! Na! Weil's a so a fada Sunntag is, muaß i mit da Familli in da Schdadt umanand zieahgn!

FRAU HIERLINGER: No woaßt, a bissel galant derfst scho aa no sei! Hockst a so de ganz Wocha im Kaffeehaus und kimmerst di net um ins!

HIERLINGER: Unta da Woch wer i mi aa no um enk kimmern! Da hast recht!

SOPHERL: Babbi, geh ma ins Kino! Da steht's, was geb'n werd.

HIERLINGER: Da werd scho was geb'n wern!

SOPHERL *liest:* Am ge–bro–chenen Härzen – Erschitterndes Drama –

HIERLINGER: Am ge–brochenen Härzen – dös mog i. Am ... Ding ... hätt i bald g'sagt.

FRAU HIERLINGER: Geh, tua di net gar a so äußern!
HIERLINGER: ... Also, geh ma eini!

II

Im Kino. Dunkel

HIERLINGER: Herrgottzaggerament – zaggera!
DIENER: Stufä!
HIERLINGER: Ja, Stu–fä! Z'erscht laßt er oan abirumpeln! Was glaab'n denn Sie? Eine solchene Gehirnerschidderung!
EIN MÜNCHNER IM DUNKEL: Gar so vui werd si net erschiddern –
HIERLINGER: Wos werd net? Wer redt denn da überhaupts? So a Zigeuna!
STIMMEN: Bsst! Ruhä!
HIERLINGER: So a Pfundhammi, so a unappetitlicha!
DER MÜNCHNER IM DUNKEL: Geh, tua di schleicha und schaug, daß d' dein Gipskopf aus da Platt'n außa bringst, sonst werd's ma unwohl! Du auftrieb'na Wassasüchtling!
HIERLINGER: Ah! Ah! Da ...
FRAU HIERLINGER: Sei ruhig, Xaver! Gib dich doch mit einem soichen ordanären G'sindel nicht ab ...
DER MÜNCHNER IM DUNKEL: Jäh! G'sindel! Sie möcht aa was sag'n, de g'scherte Heubod'nspinna!
FRAU HIERLINGER: Also so was Gemeins ...!
STIMMEN: Bsst! Ruhä! Sätzen! *Die Familie Hierlinger setzt sich. Ein Landschaftsfilm wird abgehaspelt. Schwedische Wasserfälle, dazu weiche Walzermelodien. Hierlinger schaut sich immer wieder nach seinem Feinde um, der im Dunkeln sitzt.*
HIERLINGER: Der hat mi aufg'warmt, der ung'hobelte Laggl, der!
FRAU HIERLINGER: Ich bitt dich, Xaver! Du mußt dich beruhigen, Xaver! *Es wird hell. Hierlinger dreht sich wieder um und schaut drohend hin, der Feind schaut drohend her, da verklärt ein Lächeln das Gesicht eines jeden.*
DER MÜNCHNER: Jetz is recht! Da Hierlinga!
HIERLINGER: Da Söllhuaba Beni!
SÖLLHUBER: Hätt ma ins beinah hart g'redt ...
HIERLINGER: Im Dunkeln is guat munkeln, und was sich liebt, das neckt sich ...

87

SÖLLHUBER: Aba bei deina Frau Gemahlin muaß i mi scho no eigens entschuldingen . . .

FRAU HIERLINGER: Ja – Sie!

SÖLLHUBER: Bitte halt vuimals – net wahr, gnä Frau! Wissen S' scho, wia's geht, wenn man si anand net kennt . . . Da gibt's oft de schlimmst'n Vawechslunga . . .

FRAU HIERLINGER: Ja – Sie!

HIERLINGER *lacht:* Du hast di scho a wengl weit außa lass'n mit deini tiaf'n Tön, mei Liaba . . .

STIMMEN: Bsst! Ruhä! *Es wird dunkel. Nun kommt der Film:* »*Am gebrochenen Herzen*«.

III

Schrift: Die ehemals gefeierte Schönheit Theresita Benzoni merkt, daß der Funke der Leidenschaft in ihrem Gemahle erloschen ist . . .

SÖLLHUBER *ruft vor:* Xari!

HIERLINGER: Wos?

SÖLLHUBER: Der dei aa?

HIERLINGER: Ja – ja –! Net zweni!

STIMMEN: Ruhä! Was is denn das für eine Auffierung?

ANDERE STIMMEN: De broatletschat'n Hauspascha!

SÖLLHUBER: Wia hoaß i?

STIMMEN: Sssssssssst!

Schrift: Sie beschließt, noch einmal mit der Macht ihrer Töne das Herz des geliebten Mannes zu rühren wie früher.

Bild: Eine Dame, mit aufgelösten Haaren, einem Doppelkinn und anderen sinnlichen Reizen, im Morgenrocke, sitzt am Klavier, hebt und senkt mit schöner Rundung die Hände und streicht die Tasten.

Er steht am Fenster, mit dem Rücken gegen sie.

Die Töne wirken. Man sieht es an den Händen, die er auf den Rücken hält.

Die Töne wirken stärker. Die Hände vibrieren.

Er dreht sich um, sie schießt einen Blick auf ihn.

Er kommt einen Schritt näher, zwei Schritte, bleibt stehen.

Sie klaviert weiter. Da kommt er ganz nahe und kniet neben ihr nieder.

Sie streicht ihm mit der Hand über die Haare.

Er schaut sie an, sie schaut ihn an.

Lange, innig, tief.

Schrift: Einen Augenblick ist Carlo Benzoni dem alten Zauber, der einst so mächtig auf ihn eingewirkt hatte, verfallen. Schon aber steigt ein anderes Bild vor seinem geistigen Auge auf – Graziella – und – –

Bild: Er liegt noch auf den Knien vor ihr und blickt zu ihr auf. Da nehmen seine Augen etwas Starres an, dringen ins Leere. Aus dem Leeren drängt sich das Bild eines Frauenzimmers hervor.

Mit hochgeschnürtem Busen, kecken Augen, verführerischem Lächeln . . . Er steht auf, streckt die Hände sehnend aus nach dem Bilde, seine Augen treten hervor, das Bild verschwindet, er kommt zu sich, schaut seine Gemahlin kalt an, und sie läßt ihren Kopf sinken, mit einem Ruck, noch einem Ruck und einem Ruck, streckt die Arme aufs Klavier, den Kopf auf die Tasten, und ist in Schmerz aufgelöst.

Sie rinnt unterm Morgenrock auseinander.

Verwandlung.

Ein Auto fährt vor. Benzoni! Fährt durch mehrere Straßen.

Ein anderes Auto folgt im schnellsten Tempo. Theresita!

Das erste Auto hält vor einer Gartenvilla. Benzoni! Aus dem andern Auto steigt eine Frau und schaut ihm mit brennenden Blicken nach. Theresita! Ein Mann steigt über die Treppe. Benzoni. Verwandlung. In einem üppigen Boudoir liegt auf der Chaiselongue ein üppiges Weib. Graziella!

Sie horcht. Ihre Augen vergrößern sich. Ein Mann tritt ein. Benzoni! Man küßt sich.

Verwandlung.

Eine Frau wankt am Gitter entlang. Theresita! Wankt durch eine Straße, wankt durch noch eine Straße, wankt über eine Brücke, wankt in eine Gartenanlage, fällt um, fällt gegen einen eisernen Pfahl. Ist ohnmächtig.

Verwandlung.

Ein schneeweißes Bett in einem Spital. Eine Rote-Kreuz-Schwester nickt tieftraurig mit dem Kopf. Ein Arzt mit einem schwarzen Bart nickt tieftraurig mit dem Kopf. Eine Patientin liegt da. Auf dem weißen Bette erscheint der Schatten einer riesigen Hutschleife und stört die tiefe Traurigkeit.

HIERLINGER: Sie! Sie! Tean S' Eahnern Huat owa! . . . An Huat owa . . . sag i . . .

FRAU HIERLINGER *ihre Tränen trocknend:* Eine solchane Unvaschämtheit! Mit an solchan Trumm Schloafa . . .

HIERLINGER: Owa – sag i . . .

FRAU HIERLINGER: Was de Deanstbot'n für Hüat auf hamm . . .

HIERLINGER: Sie da vorn! Tean S' Eahnern Huat owa!

STIMMEN: Sssst! Ruhä!... Sssst! *Der Film geht weiter. Die Kranke schlägt die Augen auf. Wo – bin – ich? Der Arzt lächelt human. Die Rote-Kreuz-Schwester lächelt human. Der Schatten der riesigen Hutschleife zittert in heftiger Bewegung. Der Schatten eines gebogenen Handgriffes eines Spazierstockes angelt nach dem Schatten der Hutschleife.*

DIE HUTBESITZERIN *greift nach ihrer bedrohten Kopfbedeckung:* Hören S' auf! Führen S' Ihnen net so ungebüldet auf!

HIERLINGER *angelt weiter:* Je! De ander mit da Buidung! Setz'n S' koan solchan Datschi auf!

FRAU HIERLINGER: Dös g'hört si net für Deanstbot'n!

DIE HUTBESITZERIN: Hören S' auf! Hören S' auf, Sie Lümmel, Sie roher!

HIERLINGER: Eahna Kindabadwanna tean S' oba, Sie Bauernsocka, Sie gräuslicha!

STIMME: Werd heut gar koa Ruah?

ANDERE STIMMEN: Sssssssst! Ru–hä!

HIERLINGER: An Huat owa!

DIENER: Es muß absolute Ruhä härrschen...

Die Hutbesitzerin nimmt ihre Kopfbedeckung mit zornigen, ruckartigen Bewegungen ab.

Der Film geht weiter. Der Arzt fühlt den Puls und schüttelt schwermütig das Haupt. Die Ärmste wird von uns genommen werden. Das Harmonium setzt ein. Die Kranke lächelt und bewegt die Finger, als wenn sie Klavier spielte. Ihre letzten Gedanken gehören ihm und dem Klavier.

Verwandlung.

An der Schwelle des Krankenhauses sitzt ein Mann und starrt mit furchtbaren Blicken ins Leere. Benzoni.

Die Reue nagt an ihm. Immer stärker. Noch stärker.

Die Töne des Harmoniums schwellen an.

Verwandlung.

Der Arzt beugt sich über eine Tote. Sie ist dahin, und das Schicksal erfüllte sich. Zur Türe herein wankt Benzoni, wankt an das Bett, fällt über das Bett. Schluß.

Es wird hell.

Frau Hierlinger trocknet ihre rinnenden Tränen, Hierlinger sitzt betäubt und schnupft auf. Über seine dicken Backen rollen ebenfalls Tränen.

FRAU HIERLINGER *seufzt tief:* Ah ... so was!

SOPHERL: Mammi ... was g'schieht jetzt?

FRAU HIERLINGER: Han?

SOPHERL: Was tuat jetza der Mann von dera arma Frau?

FRAU HIERLINGER: Heirat'n tuat a wieda. An anderne.

SOPHERL: Woaß ma dös?

FRAU HIERLINGER: O ja! Dös woaß ma.

SOPHERL: Er is aba da so trauri g'wen!

FRAU HIERLINGER: O mei! Die Mäh ... na! In an Vierteljahr speanzelt a scho lang mit einer andern ...

HIERLINGER: Dös kennst net, daß dös lauta Schmarrn is?

FRAU HIERLINGER: Dös is aus 'n Leb'n geschöpft ...

HIERLINGER: Ja! Am ... gebrochenen ... Härzen, sag' i ... Geh' ma, sunst schöpfst d' a no was aus 'n Leb'n ... *sie stehen auf.*

DIE HUTBESITZERIN: Da hört si alles auf! Der grobe Laggl, der unkultifierte, möcht mir an Huat abi stöß'n ... und sei Schmieslmadam hat selba den größt'n Bletschari auf!

HIERLINGER *im Abgehen:* Tean S' Eahna halt'n, Sie! Sunst wer i ungalant, Sie Mistamsel, Sie abscheilige! ...

HUTBESITZERIN: Ah! Ah ...

FRAU HIERLINGER: Geh zu, Xaver! Mit keiner solchenen Sunntagsbagaschi streit man doch nicht! ... *Die Familie Hierlinger geht ab. Es wird dunkel.*

DIENER: Es muß ab-solu-te Ruhä härrschen ... *Nächster Film.*

Von Rechts wegen

Ich kann mich nicht enthalten, einiges über das Bürgerliche Gesetzbuch zu schreiben. Man verliert die Achtung seiner Mitmenschen, wenn man es unterläßt. Es gehört einmal zum guten Ton, einige ergänzende oder erläuternde Bemerkungen über das Bürgerliche Recht in seiner neuen Gestaltung zu machen, und niemand sollte sich dem widersetzen.

Es ist nicht gut, gegen den Strom zu schwimmen.

Wirklich nicht.

Ich kann dies um so bestimmter versichern, als ich selbst durch eine traurige Erfahrung belehrt wurde. Bis vor einer Woche verkehrte ich tagtäglich im Caféhause mit einem Dutzend Juristen. Es waren lauter sehr nette Leute, sehr berufsfreudig und strebsam. Sie hatten für nichts Interesse als für die Gerechtigkeitspflege, und jeder bemühte sich an der Hand von Beispielen, Fällen und Entscheidungen zu beweisen, daß er der Gescheitere sei.

Ich dachte mir oft: »Siehst du, so solltest du eigentlich auch sein«, und dann kam ich mir wieder recht gemein vor, wenn ich mit dem Wassermädchen eine Unterhaltung anknüpfte. Aber man legt alte Untugenden nur sehr schwer ab. Meine Tischgenossen machten sich übrigens, wie mir schien, nichts daraus, und so fühlte ich keinen zwingenden Grund nach Besserung in mir.

Da erschien eines Tages in einer der gelesensten Zeitungen der Hauptstadt ein Artikel, welcher die Überschrift trug: »Über die rechtliche Stellung der Latrinenreiniger nach Einführung des Bürgerlichen Gesetzbuches von Dr. jur. Alois Lämmermeier«. Ich kann mich dunkel erinnern, daß über dem Artikel eine römische I stand, was in mir den Verdacht erregte, daß noch einige Fortsetzungen kommen würden. Gelesen habe ich die Abhandlung nicht. Ich interessiere mich für den Gegenstand derselben nur so weit dies unbedingt notwendig ist, und zudem, wenn Lämmermeier über die Sache selbst etwas Neues vorzubringen wußte, konnte er das auch mündlich tun.

Meine Tischgenossen dachten anders. Der Artikel schlug unter ihnen wie eine Bombe ein. Man gratulierte dem Verfasser zu der erschöpfenden, geistvollen Behandlung dieses Themas und prophezeite ihm eine bedeutende Zukunft, da er so rasch und gründlich seine Fähigkeit zur Erlernung der neuen Gesetze bewiesen hatte.

Von dem Tage an ließ sich an unserem Tische eine wesentliche Änderung bemerken. Man hörte nur selten eine rechtliche Frage besprechen; die meisten saßen schweigend da, und in allen Gesichtern war ein nachdenklicher Zug zu bemerken. Ich sah, wie Kollega Meyerle eine geschlagene Stunde lang den glücklichen Literaten Dr. Lämmermeier mit weit geöffneten Augen betrachtete, und wie Dr. Pius Deiglmaier länger als eine Viertelstunde mit einem Schokoladekrapfen zwischen den Zähnen dasaß und vollständig vergessen hatte, daß er ursprünglich ein Stück herunterbeißen wollte.

Die folgenden Wochen brachten mir die Erklärung dieses sonderbaren Benehmens. In den größeren Tagesblättern erschienen nämlich in kurzer Folge rechtsgelehrte Aufsätze, welche sämtlich von den Tischgenossen verfertigt waren. Alle diese Artikel zeigten das löbliche Bestreben ihrer Verfasser, das Laienvolk würdig auf die Ankunft des neuen Gesetzes vorzubereiten und ihm zu zeigen, was es *nach* derselben noch erwarten dürfe. Dr. Meyerle schrieb »Über die Verdichtung der Gewohnheit zum Rechte mit besonderer Beziehung auf die Kaffeefünferl«.

Zwei Tage später drückte mir Kollege Bierdimpfl die Zeitung in die Hand; als ich mich eben auf meinen Platz niederlassen wollte. Eine Spalte war mit Blaustift angemerkt, und ich las: »Gilt das Trinkgeld als zum *schändlichen Zwecke* gegeben? Ein Beitrag zum Verständnisse des Bürgerlichen Gesetzbuches von Dr. P. Deiglmaier«.

Ich kann nicht sagen, daß mein Ehrgeiz durch diese literarischen Erfolge geweckt wurde. Ich bin von Grund aus gutmütig veranlagt und habe die größte Hochachtung vor gelehrten Abhandlungen. Nur muß niemand verlangen, daß ich sie lese. Ich anerkannte also neidlos die Verdienste meiner Tischgenossen und verlieh meinen Gefühlen rückhaltlosen Ausdruck. Mit um so größerem Staunen bemerkte ich, daß sich das Benehmen der Kollegen mir gegenüber bedenklich änderte. Ich ertrug es einige Wochen schweigend, daß man mich nicht in die gelehrten Gespräche mit verwickelte, daß man meine Fragen grundsätzlich überhörte und überhaupt tat, als wenn ich in der juristischen Welt nicht mehr vorhanden sei.

Endlich riß mir aber doch die Geduld und ich stellte Dr. Bierdimpfl zur Rede. Er gab mir die befriedigende Erklärung, daß die Tafelrunde an meinem Charakter nichts Nachteiliges bemerkt habe, daß man aber meine Teilnahmslosigkeit sehr unangenehm empfinde. »Eine kurze Spanne Zeit«, sagte Bierdimpfl, welcher gerne pathetisch spricht, »eine kurze Spanne Zeit nur mehr trennt uns von dem 1. Januar 1900. Und was haben Sie getan, um dem wichtigen Ereignisse den Weg zu ebnen?«

»Ja . . .«

»Bitte, haben Sie auch nur *eine* Zeile über das Bürgerliche Gesetzbuch geschrieben und in Druck gegeben? Haben Sie – bitte, unterbrechen Sie mich nicht – haben Sie einen *einzigen* Paragraphen kommentiert? Haben Sie sich an der Abfassung eines gemeinverständlichen oder eines nicht verständlichen Kommentars beteiligt?«

»Allerdings muß ich . . .«

»Haben Sie *irgendwie* dazu beigetragen, daß dieses gewaltige Werk ein Gemeingut der deutschen Nation werde, daß es in die breitesten Schichten des Volkes getragen werde?«

». . . Herr Kollega . . .«

»Bitte, haben Sie einen *einzigen* Vortrag gehalten? Haben Sie an einem *einzigen* Abende des Jahres dem Volke Gelegenheit zur Vertiefung in das Gewebe der Rechtsnormen geboten?«

»Herr Kollega . . .«

»Schweigen Sie! Haben Sie auch nur die *Feder* naß gemacht, damit der gebildete Nichtjurist in den Stand gesetzt werde, diese Übergangzeit zu ertragen? Haben Sie, frage ich, dem Geschäftsmanne, dem Familienvater, Grundbesitzer und Kapitalisten, den Vormündern, Eltern, Verlobten, Erben, Vermietern und Mietern, Darlehensgebern, Käufern und Verkäufern die Aufgabe erleichtert? *Haben* Sie?«

»Allerdings nicht, Herr Kollega . . .«

»Soo? Dann werden Sie aber doch verstehen, daß wir mit Ihnen nicht mehr verkehren können? Leben Sie wohl!«

Ich war niedergeschmettert, vernichtet. Was wollten denn diese Menschen? Man kündigt doch jemandem nicht die Freundschaft, weil er *nicht* schreibt. Und überhaupt! Wie wenige tun dies! Es fällt doch niemandem ein, zu behaupten, daß jeder Jurist . . .

In diesem Augenblicke schlug mir jemand auf die Achsel. Ich drehte mich um und sah einen lieben Bekannten, den Vorstand eines hinterwäldlerischen Amtsgerichtes, vor mir.

»Grüß Gott, Doktor, wie geht's Ihnen denn?«

»Ja, grüß Gott, Herr Oberamtsrichter, wie kommen denn *Sie* nach München?«

»G'schäfts halber, G'schäfts halber. I hab zu mein' Verleger herfahren müssen.«

»Verleger? Was für ein Verleger?«

»Zu *mein* Verleger halt. Ham S' denn mein Schmarren net g'lesen?«

»Welchen Schmarren?«

»No, mei Broschür!«

»Waas? Sie auch? Da hört sich doch alles auf!«

»Oho! Glauben S' vielleicht, wir in der Provinz ham gar kein Bildungsdrang? Übrigens san S' nur wieder gut, ich tu's g'wiß nimmer. I hätt' die Hand überhaupt von dem G'schäft weggg'lassen, wenn ich net zwungen worden wär'.«

»Gezwungen?«

»No ja, stellen S' Ihnen vor, man fragt Ihnen recht mitleidig nach Ihrer G'sundheit. Ich sag, g'sund bin i, Gott sei Dank! Jaa, nicht bloß g'sund, sondern, aah, überhaupt rüstig, auch *geistig* rüstig, verstehen Sie *geistig?* Ich spür nichts, sag ich, ich bin normal. Jaa, normal, was man so unter normal versteht. ›Sind Sie nach sorgfältiger Prüfung und Überlegung zu der Überzeugung gelangt, daß Sie noch frisch genug sind, zweitausenddreihundertfünfundachtzig neue Paragraphen in sich aufzunehmen, zu behalten und zu verarbeiten?‹ Aha! Merken S' was, Doktor? Hörn S' mich geh'n? No also, was wollen S' denn machen? Ich hab mir denkt, wenn's sein muß, schmier i halt was z'samm. Da haben S' meinen Befähigungsnachweis!«

Der alte Herr drückte mir bei diesen Worten eine Broschüre in die Hand und nahm Abschied. Ich sah ihm eine Weile nach und dann las ich die Inschrift auf dem Titelblatte: »Die Dachtraufe im Lichte des Bürgerlichen Gesetzbuches von Haslinger, k. b. Oberamtsrichter«.

Den selbigen Abend setzte ich mich hin und begann den ersten Band meiner Anmerkungen zu schreiben.

Als Referendar

Ich war auch verliebt. Tatsächlich. Ich meine nicht so Jugendeseleien, wie damals mit der Hausmeisterin, die immer behauptete, daß ich neue Beinkleider hätte und den Schneider auszwicken wollte. Oder mit dem dicken Kindsmädel, das beinahe jede Nacht an meine Tür klopfte und fragte, ob ich kein Zukkerwasser brauchte, weil ich so hart schnaufte.

Davon rede ich nicht. Nein, es war eine wirkliche, ordnungsmäßige Liebe. Kein Kocherl, oder so was. Im Gegenteil. Sie war die Tochter eines reichen Getreidehändlers, hübsch, sehr üppig, und spielte Klavier. Meine Schwester behauptete, daß sie sich Servietten in das Korsett stopfte, aber ich kann es nicht wohl glauben. Bestimmt weiß ich es ja nicht, denn sie war tatsächlich sehr gut erzogen, und überhaupt die Familie!

Ich meine nämlich, daß ich mir keine Gewißheit verschaffen konnte. Also – übrigens, es war wirklich merkwürdig, mit sechzehn Jahren eine solche Büste!

Beinahe wie die Hausmeisterin, aber runder, schöner. Ich meine, nicht so wackelig.

Also, die Geschichte war so. Ich war Praktikant bei einem Gerichte, oder Referendar, wie man in Preußen sagt.

Es ist die erste Staffel der Laufbahn; man ist bereits staatlich und leistet so eine Art von Beamteneid.

Auch erhält man Bezahlung; ich glaube monatlich sechzig Pfennige für den Verbrauch von Federn und Papier. Das heißt, ich erhielt das Geld nie; unser Präsident gab uns die Schreibmaterialien und vertrank den Betrag selbst.

Aber es war in uns doch das Bewußtsein, daß wir in die Beamtenkategorie eingereiht waren. Und da denkt man unwillkürlich an das Heiraten.

Man stellt sich das so vor: Anstellung, Beförderung, das eigne Heim. Ich glaube, daß alle Referendare die gleiche Idee haben.

Warum hätte ich eine Ausnahme machen sollen?

Noch dazu wäre es mir sehr erwünscht gewesen, ein anständiges, das heißt also: ein wohlhabendes Mädchen heimzuführen.

Ich erhielt jede Woche aus der Universitätsstadt Rechnungen zugeschickt. Nebenbei bemerkt, finde ich es sehr gut, daß die Geschäftsleute ihre Firmen auf die Kuverts drucken lassen.

Man weiß dann sofort, was in den Briefen steht, und kann sie ungeöffnet wegschmeißen.

Ich schmiß damals sehr viele weg, aber ich war doch gewissenhaft genug, zu denken, daß irgend etwas geschehen müsse.

Und was gibt es da?

Eine größere Summe aufnehmen? Das ist heute kaum mehr möglich. Eine Tante beerben? Das wäre freilich das Beste gewesen. Aber in meinem Falle ausgeschlossen, ganz ausgeschlossen. Die alten Mädchen in meiner Familie besaßen nichts. Ich weiß nicht, lebten diese Geschöpfe so unökonomisch, oder? Tatsächlich hatten sie keinen Knopf.

Also blieb noch die Ehe. Sie ist heute das einzige Mittel, aus unseren Kapitalisten Geld herauszukriegen. Da war der Privatier Gillinger mit zwei Töchtern, und der Getreidehändler Scholler mit der sechzehnjährigen Elsa, die das stramme Korsett hatte. Die Gillingers hätten auch Geld gehabt, aber, ich weiß nicht.

Ein bißchen Fleisch soll doch vorhanden sein; so ein knochiges Wesen hat äußerst selten ein weiches Gemüt.

Deshalb verwandte ich mein ganzes Bemühen auf Fräulein Scholler.

Ich glaube noch heute, daß ich glücklich geworden wäre.

Bei einer Kahnpartie fiel die Kleine einmal nach rückwärts von der Bank hinunter.

Ich sah die Farbe ihres Strumpfbandes und weiß daher recht wohl, was ich sage.

Ach Gott, ja!

Und das mit den Servietten war sicherlich eine Verleumdung, denn man kann doch Schlüsse ziehen. Von dem einen auf das andre. Das liebe Ding wohnte gegenüber von dem Gerichtsgebäude.

Ich versäumte nie, sie zu grüßen, wenn ich sie am Fenster sah. Und da mir, wie heute noch, klar war, daß alles Uniformliche, Kostümliche sehr stark auf die Weiber wirkt, zeigte ich mich häufig in der Robe.

Ich glaube auch, daß es wirkte. Die Hausmeisterin wenigstens, welche mich nur einmal in dieser Kleidung sah, war wochenlang begeistert und ärger als je bemüht, mir den Schneider auszuzwicken.

Elschen benahm sich freilich zurückhaltender, aber doch, man konnte den Eindruck bemerken.

Ich war immer ein Mensch von raschem Entschlusse, und da ich mir sagte, daß bei meiner gesellschaftlichen Stellung eine leere Liebelei zwecklos und unmoralisch wäre, nahm ich mir vor, Herrn Getreidehändler Scholler zu besuchen.

Der Mann mußte bemerkt haben, daß ich seiner Tochter Aufmerksamkeiten erwies, die eine Erklärung verlangten.

Kurz und gut, ich machte meine Aufwartung. Ich wurde sehr nett empfangen. Der Alte war ein gemütlicher Mensch, allerdings etwas stark bürgerlich, aber er bemühte sich offenbar, gute Manieren zu zeigen.

Elschen kam, und wir sprachen von dem und jenem.

Auch von meiner Stellung, meinen Aussichten; ich sagte, daß ich Richterbeamter werden wolle, weil mir das am besten zusage. Man sei unabhängig, würde mit vollem Gehalte pensioniert, und dann genieße der Richter doch ein kolossales Ansehen.

Ich bemerkte mit Vergnügen, daß Herr Scholler meinen Ausführungen sichtliches Interesse schenkte.

Er ließ mich nicht aus den Augen; besonders dann, wenn ich die Vorzüge des Berufes rühmte und über meine Zukunft sprach, hörte er mir aufmerksam zu und nickte mit dem Kopfe.

Ich war darüber nicht erstaunt, denn ich habe immer gefunden, daß man gerade in den bürgerlichen Kreisen einen großen Respekt vor der akademischen Bildung hegt.

Aber angenehm berührt war ich doch, daß der Vater meiner Angebeteten diese – wie soll ich sagen? – Ehrfurcht vor dem geistig Höherstehenden teilte.

Ich wurde gesprächig, ich zeigte mich Elschen im schönsten Lichte und beschloß, den braven Leutchen schon beim nächsten Besuche meine Absichten zu enthüllen. Ich verabschiedete mich, und Herr Scholler begleitete mich bis zur Türe. In dem dunklen Hausgange hielt er mich einen Augenblick zurück und sagte: »Wissen S', mir hamm aa'r an Rechtspraktikanten in unserer Familie g'habt. I woaß, was des für arme Luada san. Da, b'halten S' as no!« Dabei drückte er mir etwas in die Hand und schob mich gutmütig hinaus.

Es war ein Zehnmarkstück.

Was sollte ich tun? Sehen Sie, das sind unsre Kapitalisten, und solchen Begriffen von unsrer Stellung kann man noch heute begegnen.

Ich habe daraufhin das Frauenzimmer links liegen lassen. –

Assessor Karlchen

Ich kenne Karlchen schon lange. Wir waren zusammen auf dem Gymnasium. Ich schmiß ihn einmal so an den Ofen, daß er einen Backenzahn verlor und ich wegen entsetzlicher Roheit zwei Stunden Karzer erhielt. Karlchen hatte nämlich schon damals eine Neigung zum Anzeigeerstatten und lief zum Rektor, welcher mir erklärte, daß auch bei den alten Griechen die Verbrecher mit solchen Handlungen ihre Laufbahn begonnen hätten.

Man sieht, es sind keine angenehmen Erinnerungen, die Karlchens Name in mir wachruft, aber niemand soll glauben, daß ich deshalb diese Geschichte von ihm erzähle. Ich hatte ihm wirklich verziehen, weil er der dümmste in unserer Klasse war. Später wurde er Assessor in München.

Diese Bevorzugung flößte ihm eine hohe Meinung von seinen Fähigkeiten ein, und er verschmähte es fortan, mich auf der Straße zu grüßen. Trotzdem werde ich ganz objektiv bleiben.

Eines Tages also meldete sich bei Karlchen der Kriminalschutzmann Alois Schmuttermaier und erzählte, daß eine gewisse Baronin Werneck im nördlichen Stadtviertel seine Aufmerksamkeit erregt habe. »Dieses Frauenzimmer«, sagte er, »scheint einen unbändigen Lebenswandel zur Schande der Nachbarn zu führen.«

»Wie sprechen Sie von den Spitzen der Gesellschaft? Was *erlauben* Sie sich eigentlich?« fragte Karlchen, und seine wasserblauen Augen sahen drohend über den Zwicker hinweg.

»Entschuldigen, verzeihen, Herr Assessor, ich glaube gehorsamst, das Mensch ist gar keine Baronin, sondern aus Salzburg.«

»Ach so! Warum haben Sie das nicht gleich gesagt, hm?«

»Entschuldigen, verzeihen . . .«

»Schon gut! Merken Sie sich ein für allemal, ich liebe Klarheit, absolute Klarheit. Fahren Sie fort!«

»Jawoll, Herr Assessor! Ich habe eifrig recherchiert, weil mir Herr Assessor befahlen, auf die Unzucht ein wachsames Auge zu werfen.«

Karlchen nickte beifällig.

»Ich habe«, fuhr Schmuttermaier fort, »verschiedene Verdachtsmomente gesammelt. Allein, wenn mir Herr Assessor erlauben, zu bemerken, ich glaube, daß man diese Frauenzimmer in flagranti erwischen muß, weil man sonst nichts ganz Gewisses weiß.«

»Allerdings, hm! Allerdings!«

»Und wenn mir Herr Assessor erlauben, ich habe eine Idee.«

»Nur heraus damit«, sagte Karlchen leutselig, »Sie wissen ja, ich liebe es, wenn die Vollzugsorgane Initiative zeigen.«

»Jawoll, Herr Assessor!«

»Nun also, was ist das mit Ihrer sogenannten Idee?«

»Ich meinte gehorsamst, wenn ich . . . wenn ich, hm!« Hier räusperte sich Schmuttermaier verlegen und nestelte mit der Hand an seinem Uniformkragen.

»Etwas rascher!« sagte Karlchen ungeduldig.

»Zu Befehl, Herr Assessor . . . wenn ich . . . wenn ich das Frauenzimmer selbst auf die Probe stellen würde.«

»Probe? Wie denn? Was denn?«

»Als Don Schuang!«

»Ach so! hm! Ja, das ist wahr, das geht. Aber Schmuttermaier, ich hoffe, daß Sie nur aus Pflichtgefühl auf diesen Gedanken gerieten?«

»Jawoll, Herr Assessor!«

»Schön! In diesem Falle haben Sie meine Billigung. Sie können gehen.«

Schmuttermaier rührte sich nicht vom Platze.

»Was wollen Sie noch?« fragte Karlchen.

»Zu Befehl, Herr Assessor! Ich habe kein Geld nicht.«

»Hm. An der Kasse können Sie es nicht wohl erheben. Ich will Ihnen was sagen, Schmuttermaier, ich habe Sie als diensteifrigen Beamten kennen gelernt. Hier haben Sie zwanzig Mark, aber ich mache es Ihnen zur unabweislichen Pflicht, ich gebe Ihnen den dienstlichen Befehl, verstehen Sie wohl, den *dienstlichen* Befehl, daß kein anderes Gefühl in dieser heiklen Angelegenheit aufkommen darf, als das der strengsten Pflichterfüllung.«

»Jawoll, Herr Assessor!« sagte Schmuttermaier so laut, knapp und militärisch, wie man es bei der Verwaltung liebt. Dann drehte er kurz um und begab sich auf seine Mission.

Zwei Tage später kam in den Einlauf der Polizeidirektion eine sechs Seiten lange Anzeige des Schutzmannes Alois Schmuttermaier betreff Philippine Weizenbeck alias Baronin Werneck wegen überraschter Unzucht.

Karlchen freute sich als Mensch und Beamter über diese prompte Entlarvung eines jener unseligen Geschöpfe, welche im Sumpfe der Großstadt gedeihen.

Er ließ die Delinquentin sofort zitieren; Philippine erschien. Sie erfüllte den Korridor und das Verhörzimmer mit durchdringendem Patschoulidufte und versuchte ganz vergeblich, durch den Liebreiz ihrer Erscheinung auf Karlchen zu wirken. Sie wies mit Entrüstung die »ordanären« Verleumdungen zurück; allein, als sie im besten Zuge war, erschien unter der Türe der klassische Zeuge Alois Schmuttermaier in Uniform.

Der Eindruck war fürchterlich; das treuherzige Geschöpf sah ein, daß sie dem überlegenen Polizeigeiste zum Opfer gefallen war, und ließ alles mit sich geschehen; sie wurde acht Tage eingesperrt und sodann in ihre schöne Heimat verschubt.

Karlchen verfehlte nicht, höheren Ortes darauf hinzuweisen, daß seinem Spürsinne die Entdeckung der Salzburger Bathseba gelungen war, und er konnte aus manchen Dingen schließen, daß ihm die Tat hoch angerechnet wurde.

Eines Tages begab es sich sogar, daß ihn Exzellenz ansprachen, als sie sich gerade auf die Retirade begeben wollten.

»Ah, da ist ja der Herr Assessor Maier! Schön, schön!« sagten Exzellenz und zogen sich dann zurück.

Diese Äußerung wurde in der Beamtenwelt viel bemerkt, und man prophezeite unserem Karlchen eine gute Zukunft.

Kein Mensch dachte mehr an die Philippine Weizenbeck; selbst Schmuttermaier hatte sie vergessen, *sie*, die doch ganz anders war als die Kocherl seines Bezirkes. Da wurde er plötzlich an sie erinnert. Aus Salzburg kam ihm die Botschaft.

Sie war auf jenem Papier geschrieben, welches die königlich kaiserliche Regierung für amtliche Kundmachungen und zum Einwickeln des Tabakes benützt.

In dem Schriftstücke hieß es, daß eine sichere Weizenbeck ledigen Standes ein Kind geboren und hiezu als Vater das bayrische Sicherheitsorgan Schmuttermaier benannt habe. Ob sich der Genannte hiezu bekenne und diesfalls den Unterhalt mit sieben Gulden den Monat bestreiten wolle?

Als sich der Adressat von der ersten Überraschung erholt hatte, ging er zu dem königlichen Assessor Karl Maier und berichtete ihm das Geschehnis.

Karlchen war wütend.

»Haben ich Ihnen nicht gesagt, daß Ihre Recherche von dem strengsten Pflichtgefühl getragen sein muß? Habe ich das gesagt?«

»Jawoll, Herr Assessor!«

»So? Und jetzt kommen Sie mir mit dieser . . . mit dieser Schweinerei? Die Folgen haben Sie selbst zu tragen! Abtreten!«

Alois Schmuttermaier war keineswegs gesonnen, seinen Gehalt um sieben Gulden oder zwölf Mark pro Monat zu kürzen.

Er richtete ein längeres Schreiben an die Salzburger Behörde, in welchem er ausführlich darlegte:

»Erstens, daß er überhaupts kein Geld nicht habe, und zweitens, daß es sich hier nicht um die Frucht der unerlaubten Liebe, sondern einer dienstlichen Verrichtung handle. Indem in Bayern der Grundsatz gelte, daß der Staat für die amtlichen Handlungen seiner Beamten aufkomme und hier also die königliche Polizeidirektion das durch kriminelle Recherche zur Welt gekommene Kind bezahlen müsse. Indem es doch kein Gesetz gebe, welches den Beamten für seinen Gehorsam bestraft. Einer jenseitigen königlich kaiserlichen Bezirkshauptmannschaft ganz ergebenster Alois Schmuttermaier.«

Die Österreicher verweigerten den rechtlichen Anschauungen des bayrischen Sicherheitsorganes ihre Anerkennung und ersuchten kurzerhand die Polizeidirektion selbst, die Sache in Ordnung zu bringen.

Auf diese Weise mußte Schmuttermaier vor das Angesicht des Herrn Präsidenten treten. Der Gedanke an die Schmälerung seiner Einkünfte verlieh ihm Kraft. Er blieb fest und berief sich darauf, daß er im Vollzuge eines dienstlichen Auftrages gehandelt habe.

Nun wurde Karlchen herbeigeholt. Als er in längerer Rede dartun wollte, daß Schmuttermaier entgegen dem klaren Befehle offenbar nicht bloß das strengste Pflichtgefühl beim Vollzuge der Recherche habe walten lassen und so weiter, wurde er barsch unterbrochen. Exzellenz bedeuteten ihm, daß vor allem jeder Skandal vermieden werden müsse und daß es ohnehin höchst sonderbar sei, wenn ein Beamter die niedrigen Gelüste eines Gendarmen durch Darlehen von zwanzig Mark unterstütze, »höchst sonderbar, hö . . höchst sonderbar, ze ze!«

Was blieb meinem Karlchen übrig?

Er mußte retten, was noch zu retten war, und so kam es, daß er, der königlich bayerische Bezirksamtsassessor, die Alimente bezahlte für das illegitime Kind der Philippine Weizenbeck alias Baronin Werneck, welches zum Danke hierfür in der Taufe den Namen Karl erhielt.

Der Einser

Es klopfte, und der königliche Amtsrichter Josef Amesreiter rief: »Herein!« Dann erschien unter der Türe Frau Realitätenbesitzerswitwe Karoline Zwerger. Eine hübsche junge Frau mit angenehmen Rundungen, da, wo sie am Platze sind.

Sie führte an der Hand ein kleines Mädchen von sieben Jahren, welches verschämt zu Boden blickte.

Auch Frau Zwerger war in einiger Verlegenheit, wie das vielen Leuten geschieht, wenn sie mit Behörden in Berührung kommen. Und dann schielte der Herr Amesreiter so merkwürdig über seine Brillengläser hinaus und schaute sie ganz sonderbar an.

Vielleicht meinte Frau Zwerger . . .? Aber das war ausgeschlossen.

Denn Amesreiter war ein sogenannter glänzender Jurist, hatte das Staatsexamen mit I gemacht und war sohin zeugungsunfähig.

Nein, an so etwas dachte er nicht.

Er schaute überhaupt immer so, und Frau Zwerger brauchte nicht rot zu werden.

»Also, was wollen Sie?«

Die junge Frau wollte, nicht wahr, dieses Kind also, ihr Mann nämlich war gestorben, und weil sie selber keine Kinder hatten, dieses Kind also zu sich nehmen.

Gut, oder vielmehr nicht gut. Was heißt zu sich nehmen? Was sollen diese unklaren Worte in einem klaren Rechtsgeschäfte?

Frau Karoline Zwerger wollte vermittelst der adoptio oder Wahlkindschaft, und zwar vermittelst der adoptio in specie minus plena, wozu sie nach erstem Teil, fünftes Kapitel, Paragraph elf bereits in der Geltungszeit des Codex Maximilianeus Bavaricus als Weibsperson berechtigt war, an Kindes Statt annehmen die miterschienene Franziska Furtner.

Ist es nicht so?

Und wenn es so ist, Frau Zwerger, warum sagen Sie dann »zu sich nehmen«? Warum sind Sie nicht imstande, Ihrem auf Perfektion eines Rechtsgeschäfts gerichteten Willen deutlichen Ausdruck zu verleihen?

Die rundliche Frau weiß es nicht, aber sie weiß, daß dieser lange Mensch mit den vorquellenden Augen, der sie mit seiner Gelehrsamkeit anspuckt, ein königlicher Richter ist, eine Respektsperson. Und darum wagt sie es nicht, sich darüber innerlich klar zu werden, daß er trotz Stellung und Gelehrsamkeit ein recht saudummer Kerl ist. Ein Viech mit zwei Haxen, wie der Realitätenbesitzer Nepomuk Zwerger – Gott hab' ihn selig – immer zu sagen pflegte.

Nein, sie wagte es nicht; sie beantwortete, eine Stunde lang,

die blödesten Fragen, welche der Exameneinser Josef Amesreiter an sie stellte, und wenn ihr manches sonderbar erschien,
dann dachte sie bescheiden, daß ihr schlichter Verstand nicht
hinreiche, die geheime Weisheit zu sehen. Endlich war die
adoptio minus plena fertig. Da sagte Frau Zwerger zu dem
kleinen Mädchen:

»So, jetzt bedank dich auch recht schön beim Herrn Amtsrichter, und mach ein Kompliment und gib ihm dein Blumen-
bukettl.«

Fannerl knickste, wie man es in der Schule bei den Eng-
lischen Fräulein lernt, und streckte ihr Sträußchen dem ge-
strengen Herrn hin.

Es waren zwei Rosen und drei gesprenkelte Nelken.

Eine solche Tathandlung war dem Josef Amesreiter noch
niemals begegnet, und er geriet in einige Verlegenheit.

Jedoch, bevor er sich besann und den Fall richtig prüfte,
hatte er die Blumen in der Hand und war Frau Zwerger mit der
Adoptatin verschwunden. Er ging einige Male auf und ab und
überlegte. Diese Sache war nicht einfach.

Es lag eine Schenkung vor, unleugbar, eine donatio inter
vivos, und überdies konnte sie als der Belohnung halber geschehen sein. Dies aber war unverträglich mit dem richter-
lichen Amte. Wie gesagt, Amesreiter überdachte mit juristi-
scher Schärfe dieses Geschehnis und fand nach eifrigem Suchen
den richtigen Ausweg.

Er befahl dem Schreiber, das Protokoll noch einmal vorzu-
nehmen und diktierte.

»Nachtrag – haben Sie?«

»Nachtrag.«

»Erstens: Nach Abschluß des obigen Protokolls übergab das
Wahlkind auf Betreiben der Wahlmutter dem unterfertigten
Richter fünf Blumen – fünf Blumen.

Halten Sie, was sind das für Blumen?«

»Zwoa Rosen«, sagte der Schreiber, »und dös andere san
Nagerln, Nölken!«

»So? So – – also schreiben Sie fünf Blumen, Komma, welche
diesgerichtlich als zwei Rosen und drei Nelken bezeichnet
wurden.

Zweitens: Der unterfertigte Richter nahm die obengenann-
ten Blumen an in der Erwägung, daß die Annahmeverweige-
rung das natürliche Gefühl der Dankbarkeit in dem Wahlkinde
zu ersticken geeignet war.

Drittens: Fünf Blumen mit Akt an den Herrn Gerichtsvorstand mit dem Ersuchen um geneigte Rückäußerung, ob gegen die Annahme Bedenken bestehen.«

So, das war geschehen. Und der Schreiber wickelte um die Rosen und die gesprenkelten Nelken einen blauweißen Faden und legte sie zwischen die Aktendeckel, wo sie baldigst erstickten, wie alles frische Leben, das in Aktendeckel gelangt.

Josef Amesreiter aber fühlte sich in gehobener Stimmung. Er hatte gehandelt, wie man es von einem Einser erwarten durfte.

Von einem Viech mit zwei Haxen, wie der selige Herr Zwerger zu sagen pflegte.

Der Vertrag

Der königliche Landgerichtsrat Alois Eschenberger war ein guter Jurist und auch sonst von mäßigem Verstande.

Er kümmerte sich nicht um das Wesen der Dinge, sondern ausschließlich darum, unter welchen rechtlichen Begriff dieselben zu subsumieren waren.

Eine Lokomotive war ihm weiter nichts als eine bewegliche Sache, welche nach bayrischem Landrechte auch ohne notarielle Beurkundung veräußert werden konnte, und für die Elektrizität interessierte er sich zum erstenmal, als er dieser modernen Erfindung in den Blättern für Rechtsanwendung begegnete und sah, daß die Ableitung des elektrischen Stromes den Tatbestand des Diebstahlsparagraphen erfüllen könne. –

Er war Junggeselle. Als Rechtspraktikant hatte er einmal die Absicht gehegt, den Ehekontrakt einzugehen, weil das von ihm ins Auge gefaßte Frauenzimmer nicht unbemittelt war, und da überdies die Ehelosigkeit schon in der lex Papia Poppaea de maritandis ordinibus ausdrücklich mißbilligt erschien.

Allein, der Versuch war mit untauglichen Mitteln unternommen; das Mädchen mochte nicht; ihr Willenskonsens ermangelte, und so wurde der Vertrag nicht perfekt.

Alois Eschenberger hielt sich von da ab das weibliche Geschlecht vom Leibe und widmete sich ganz den Studien.

Er bekam im Staatsexamen einen Brucheinser und damit für jede Dummheit einen Freibrief im rechtsrheinischen Bayern.

Aber davon wollte ich ja nicht erzählen, sondern von seinem Erlebnisse mit Michael Klampfner, Tändler in München-Au.

Und dies war folgendes.

Eines Tages mußte sich der Herr Rat entschließen, seine alte Bettwäsche mit einer neuen zu vertauschen.

Die Zugeherin besorgte den Handkauf und überredete ihren Dienstherrn, die abgelegten Materialien zu veräußern. Auf Bestellung erschien daher in Eschenbergers Wohnung der oben erwähnte Trödler Michael Klampfner und gab auf Befragen an, daß er derjenige sei, wo die alte Wäsche kaufe.

»So«, erwiderte der königliche Rat, »so? Sie wollen also gegen Hingabe des Preises die Ware erwerben?«

»Wenn ma's no brauchen ko, nimm i's«, sagte Klampfner.

»Schön, schön; Ihr Wille ist sohin darauf gerichtet. Sagen Sie mal, Herr ... Herr ... wie heißen Sie?«

»I? I hoaß Klampfner Michael, Tandler von der Au, Lilienstraßen Nummera achti.«

»Also, Herr Klampferer ...«

»Klampfner!«

»Richtig, Herr Klampfner. Sie sind doch handlungsfähig?«

»I moa scho. I handel scho dreiß'g Johr.«

»Gut, Sie sind also nicht entmündigt, als prodigus, furiosus, als Verschwender oder wegen Geisteskrankheit?«

»Jo, was waar denn jetzt dös? Moana S', i bi da her ganga, daß Sie mi dablecken?«

»Mäßigen Sie sich. Ich mußte die Frage an Sie stellen; es handelt sich um eine wesentliche Bedingung des Konsensualkontraktes.«

»Vo mir aus. Wo is denn nacha de Wasch?«

»Sie wird Ihnen vorgezeigt werden; der Kauf wird nach Sicht geschlossen.«

Die Zugeherin führte den Tändler in ein Zimmer, in welchem zwei große Bündel auf dem Boden lagen. Das eine enthielt die gebrauchte Wäsche, in dem andern war die neuangeschaffte.

Michael Klampfner prüfte das alte Bettzeug mit Kenneraugen. »Bedeuten tuat dös net viel«, sagte er; »zwoamal waschen, nacha is dös G'lump hi. Aba, weil Sie 's san, Herr Rat, gib i Eahna zwoa Markl dafür.«

»Zwei Mark? Der Kaufpreis scheint mir sehr niedrig gegriffen.«

»Ja, was glauben S' denn? Wer kaaft denn so wos? Do

kenna S' de arma Leut schlecht, wenn S' moanen, de mögen was Alt's. De kaafen si liaba was Neu's und bleiben's auf Abzahlung schuldi.«

»Hm! ja, das mag sein, ... aber ... was sagen Sie, Frau Sitzelberger«, wandte sich der Rat an seine Zugeherin, – »finden Sie den Preis ortsüblich und wertentsprechend?«

»Ich mein halt so, Herr Rat, verzeihen S', wenn man halt doch die Sach hergeben tut, nicht wahr, dann mein i halt, entschuldigen S', es ist doch nicht viel zum kriegen damit.«

»Sie raten mir also zum Abschlusse?«

»Ja, ich ... ich mein halt so, Herr Rat, es wird nichts andres herausschauen.«

»Gut. Dann bleibt es bei dem vereinbarten Preise von zwei Mark.« –

»Gilt scho«, sagte Michael Klampfner, »g'hört scho mei. I laß von mei'n Buab'n abhol'n.«

»Nein, nein, so schnell geht die Sache nicht«, unterbrach ihn hier Eschenberger, »ich beharre auf schriftlicher Verlautbarung des Vertrages.«

»Ah, zu wos denn? Dös braucht's do it.«

»Notwendig ist es allerdings nicht«, erklärte der Herr Rat, »Sie haben wohl recht; der Vertrag kann formlos abgeschlossen werden, die traditio würde überdies brevi manu erfolgen, allein ich ziehe die Abfassung einer privaten Urkunde vor.«

»No, wenn's net anders geht, mir is wurscht.«

»Schön. Ich werde den Vertrag gleich hier niederschreiben.«
Eschenberger holte Papier, Tinte und Feder und fing hastig zu schreiben an, wobei er den Text laut vorlas.

»Also ... zwischen dem königlichen Landge ... Landgerichtsrat Alois Eschenberger in ... in München und dem ... was sind Sie, Herr Klampfner?«

»Tandler vo der Au ...«

».. Tändler, hm! also Kleinkaufmann ... und dem Kleinkaufmann Michael Klampfner kommt folgender ... folgender Vertrag zustande:

Erstens: Der königliche Landgerichtsrat Eschen ... Eschenberger verkauft an den ... den Kleinkaufmann ... Kleinkaufmann Klampfner die demselben vorgezeigte, in einem Bündel zusammen ... zusammengefaßte, von demselben ge ... gebrauchte und hierwegen abgelegte ... abgelegte Bettwäsche ... Bettwäsche. – Nicht wahr?«

»J ... ja!« sagte Klampfner.

»Also fahren wir fort:

Zweitens: Der vereinbarte ... vereinbarte, auch wert ... wertentsprechende Kaufpreis beträgt die Summe von zwei ... zwei Mark Reichswährung, über deren Empfang der Verkäufer hiemit ... hiemit quittiert. – Sie können gleich bezahlen, Herr Klampfner.«

»I will's it schuldi bleiben«, sagte der Tändler und zählte auf den Tisch eine Mark und dann zehn Nickelstücke hin.

»Schön«, sagte Eschenberger, »fahren wir fort. Drittens: Die Einreden des Zwanges, des Irrtums ... des Irrtums und ... und des Betrugs sind ... ausgeschlossen. – So, das hätten wir. Wünschen Sie den Vertrag noch einmal vorgelesen?«

»Na, g'wiß net!«

»Gut. Also auf Vorlesen verzichtet und unterschrieben. Setzen Sie Ihre Unterschrift hieher.«

Klampfner unterschrieb und ging dann, nachdem er erklärt hatte, daß sein Sohn das Bündel abholen werde. Die Zugeherin begleitete ihn zur Türe und lächelte beistimmend, als der Tändler sich mit der Faust an der Stirne rieb und dann mit dem Daumen gegen das Zimmer deutete, worin Eschenberger weilte.

Einige Stunden später kam Klampfner junior und holte im Auftrage seines Vaters das Bündel Wäsche ab.

Noch denselbigen Abend stellte sich aber heraus, daß eine unliebsame Verwechslung stattgefunden hatte. Dem Boten war das Bündel mit der neuen Wäsche übergeben worden.

Michael Klampfner wurde eilig hievon in Kenntnis gesetzt, allein er verschloß sich heftig allem Zureden.

»Wos?« sagte er, »i soll de Wasch wieda hergeben? Waar mir scho z' dumm! Für wos hat er denn an Vertrag g'schrieben? Dös gilt, wia's g'schrieben is. Irrtum is ausg'schlossen. Waar mir scho z' dumm!«

Dieses geschah dem königlichen Landgerichtsrat Alois Eschenberger, welcher seinerzeit einen Brucheinser erhalten hatte.

Das neue Jahr soll uns eine andere Behandlung der Majestätsbeleidigung bringen. Ich will es nicht entscheiden, ob die Neuerung viel verbessern wird in der deutschen Welt.

Aber eines weiß ich, und eines bedaure ich.

Mein alter Freund Simon Lackner wird sich nicht mehr so leicht ein billiges Winterquartier verschaffen können.

Und das ist hart.

Denn Simon Lackner ist neunundsechzig Jahre alt; ein herzensguter Kerl.

Jetzt soll er als Greis eine neue Methode ersinnen, nachdem er sechzehn lange Jahre hindurch mit der alten so schöne Erfolge erzielt hat.

Ihr lieben Mitmenschen, denkt euch in seine Lage!

Von Jugend auf war er ein stellenloser Schreinergehilfe; ein fahrender Handwerksbursche. Das ist wohl ein schönes Metier, wenn der Apfelbaum am Straßenrand blüht, und wenn ein Mensch, der auf dem Rücken im Grünen liegt, mit blinzelnden Augen der Lerche hoch hinauf in die blaue Luft nachschaut. Das ist wohl ein schönes Metier, wenn die Kornähren sich über dem müden Haupte wiegen und am heißesten Sommertag einen erquickenden Schatten spenden. Auch ist es fröhlich und freudenvoll, wenn noch eine mildtätige Herbstsonne auf den Bukkel brennt, und wenn die zerrissenen Schuhe durchs gelbe Buchenlaub rascheln.

Aber wenn die kalten Novemberwinde pfeifen und alte Felber in die Gräben rollen? Wenn die Landstraßen aus dem Leim gehen und pfundschwerer Brei an den Sohlen hängen bleibt? Wenn der kalte Regen mit tausend Nadeln sticht oder die Schneeflocken wirbeln? Wenn alle warmen Ofenbänke von hartherzigen Bauern besetzt sind, die für einen armen Handwerksburschen nicht zusammenrücken?

Da wird's dem abgehärteten Landstreicher wehmütig ums Herz, und er sehnt sich nach einem trockenen Platz, nach einem Dach, unter dem es nicht tropft.

Simon Lackner widerstand lange, aber endlich kriegte er das Reißen in seinen Gliedern, und er fand ein Mittel, sich zu helfen. –

Im Herzogtum Neuburg regierte Karl III., ein gemütlicher, braver Landesfürst.

Natürlich, Simon Lackner kannte ihn nicht, aber er stand doch in gewissen Beziehungen zu ihm.

Denn wo er in einem Bauernwirtshaus um Gotteslohn eine Halbe Bier trank, sah er von der Wand das dicke Gesicht Karls III. herunterlächeln.

Und er begriff die Gutherzigkeit, welche sich in dem breiten Mund, in den hängenden Backen des Landesherrn ausdrückte.

Er sah mit Liebe in die kleinen, hinter Fettpolstern verschwimmenden Schweinsäuglein und dachte sich, wie bürgerlich und selchermäßig doch oft der liebe Gott die von seinen Gnaden regierenden Häupter ausgestaltet. Kein kleinstes Restchen Feindseligkeit haftete im Herzen des Simon Lackner.

Er liebte den Fürsten auf seine bescheidene Weise und nahm es ihm nicht übel, wenn seine Gendarmen grob und rauhändig waren.

Denn nicht einmal der allmächtige Gott hat alle seine Geschöpfe liebenswürdig geschaffen.

Warum sollte man's von einem irdischen Fürsten verlangen?

Trotz seiner Hinneigung war aber Simon Lackner gezwungen, alle Jahre einmal dem Herzog Karl III. eine Despektierlichkeit zu zeigen, die ihm nicht innewohnte.

Aber es war eben seine Methode, und es war notwendig, um unter ein schützendes Dach zu kommen.

Wenn zu Ende Oktober die kalten Winde anhuben, ging Simon Lackner zum herzoglich neuburgischen Gefängnisse, welches auf freiem Felde lag, hinaus.

Dort versteckte er sich in einem Holzschupfen, welcher gegenüber dem Eingange der Anstalt lag, und wartete.

Wenn dann einige Gendarmen kamen, trat er allsogleich hervor und schrie mit lauter Stimme:

»Unser guater, alter Herzog Karl is a Rindviech!«

Das erstemal und das zweitemal stürzten die Gendarmen gierig auf den frevelhaften Menschen und glaubten, daß sie einen wichtigen Fang gemacht hätten. Aber schon im dritten Jahre erlahmte ihr Eifer, denn sie wußten jetzt, daß Simon Lackner sich nur auf diese harmlose Weise ein Winterquartier verschaffen wollte.

Simon Lackner mußte oft und oft schreien, bis sie ihn gefangen nahmen.

Und das wiederholte sich sechzehn Jahre lang mit schöner Regelmäßigkeit.

Man wußte es nicht mehr anders.

Wenn gegen Ende Oktober schwere Wolken am Himmel aufzogen, schaute der Gefängnisinspektor in die herbstliche Natur hinaus und sagte: »Jetzt wird der Lackner bald wieder schreien.« Und richtig: den andern Tag zogen sich nasse Bindfaden vom Himmel zur Erde herunter, und vom Holzschupfen herüber brüllte es: »Unser guater, alter Herzog Karl is a Rindviech.«

Die Gendarmen lächelten; Simon Lackner lächelte und betrat freudig die Halle des Gefängnisses, wo ihm der Inspektor wohlwollend entgegentrat.

Lackner wiederholte zur Sicherheit: »Unser guater, alter Herzog Karl is a . . .« »Weiß schon, weiß schon«, sagte der Inspektor, »Sie kriegen schon Ihre fünf Monat.«

Wenn die Amseln pfiffen, kam Simon wieder heraus und walzte fröhlich durch das Herzogtum Neuburg.

Und wo er in einem Wirtshaus das Konterfei seines lieben Karls III. sah, lächelte er ihm verständnisinnig zu. Er hatte ja nie vergessen, ihn den guten, alten Herzog zu nennen, und das mit dem Rindvieh war nicht ernst gemeint.

Jetzt wollen sie den schönen Paragraphen ändern, mit dem mein Freund Simon Lackner seit sechzehn Jahren sich recht und schlecht über die Wintersnot hinweggeholfen hat.

Ist das nicht hart?

Die unerbittliche Logik

Karlchen war dritter Staatsanwalt beim Landgerichte Salona in Kalabrien geworden. Seit zwei Tagen hatte er nichts zu tun. Absolut nichts. Er beherrschte die Buchstaben A bis G, und da die meisten Spitzbuben in Salona Müller oder Schulze heißen, liefen bei ihm nur sehr spärlich die Anzeigen ein. Manchmal versiegte die Quelle gänzlich. Das wäre nun an sich kein Unglück gewesen. Denn auch die dritten Staatsanwälte lieben mehr den Anschein der Überanstrengung als diese selbst.

Aber das Unangenehme war, daß Karlchen sich diesen Anschein nicht geben konnte. Denn in Salona werden die Denunziationen gerade so wie die Hunde und Radfahrer mit fortlaufenden Nummern versehen. Und so kam es, daß eines Tages der erste Staatsanwalt unser gutes Karlchen vor sein Antlitz heischte.

»Guten Morgen, Herr Kollega!« sagte der erste.

»Ich erlaube mir ganz ergebenst, guten Morgen zu wünschen, Eure Hochderogeboren!« sagte der dritte.

»Was haben wir heute für einen Datum, hum?« fragte der erste, noch ganz freundlich.

»Wir haben heute Mittwoch, den 14. März, wenn mir Euer Hochderogeboren zu bemerken gestatten«, erwiderte Karlchen eifrig und war sehr froh, daß er sich durch seine Kenntnisse nützlich erweisen konnte.

»So, so? Das ist also … Das sind also seit dem 1. Januar wieviele Tage? Warten Sie nur! Einunddreißig und dreißig…«

»Der Februar haben achtundzwanzig Tage«, unterbrach hier Karlchen etwas vorlaut.

»Also einunddreißig und achtundzwanzig«, fuhr der erste in schärferm Tone fort, »das sind … das sind achtundfünfzig …«

»Neunundfünfzig, wenn Euer Hochderogeboren …«

»Also neunundfünfzig … oder so beiläufig, unterbrechen Sie mich nicht«, sagte der erste sehr ungnädig, »achtundfünfzig und vierzehn, das sind zweiundsiebzig oder so beiläufig. Nicht wahr?«

»Ja, beiläufig«, stimmte Karlchen rasch zu und war wieder sehr stolz, daß er seine Meinung abgeben durfte.

»Zweiundsiebzig Tage«, wiederholte der erste, während er den Untergebenen durchbohrend anblickte, »zweiundsiebzig Tage, und Ihr Anzeigeregister weist ganze dreiundvierzig Nummern auf, ganze dreiundvierzig Nummern! Das ist noch nicht eine für jeden T … Tag! Herr, wie kommt das?«

»Entschuldigen vielmals! Pardon! Wenn ich mir zu bemerken gestatte …«

»Wenn Sie sich was zu bemerken gestatten?«

»Daß … äh … daß … leider … zu meinem eigenen Bedauern … sehr großen … Bedauern … nicht mehr Anzeigen eingelaufen sind …«

»So? Und das ist Ihre Entschuldigung? Mit solchen Gründen belegen Sie eine höchst sonderbare … ja, eine höchst sonderbare Saumseligkeit. Muß ich Ihnen erst sagen, daß ein pflichttreuer Staatsanwalt in allem und jedem das strafbare Moment entdecken kann? Muß ich wirklich?«

»Nein, gestatten Euer Hochderogeboren … aber …«

»Es gibt kein Aber. Ich sage Ihnen offen, daß ich meine jungen Staatsanwälte nach ihrer Nummernzahl qualifiziere. Dreihundertfünfundsechzig das Jahr ergibt Note II. Majestätsbeleidigungen zählen dreifach. Ich habe Ihnen nichts Weiteres mitzuteilen. Guten Morgen!«

»Erlaube mir ganz ergebenst, guten Morgen zu wünschen«, murmelte Karlchen und ging rückwärts zur Tür hinaus.

Der erste sah ihm nach und sprach in dem Augenblicke, wo das Schloß einklinkte: »T . . . Tummer Mensch! Ein sau-t-tummer Mensch!« –

Karlchen kehrte höchst mißmutig in sein Bureau zurück. Er war gekränkt. Er wußte, daß niemand größern Diensteifer hegte als er, daß niemand lieber anzeigte, anklagte, denunzierte, – und da! da hatte er den Lohn für die tüchtigste Gesinnung, die je in einem Behördenmenschen steckte!

Er glotzte mit seinen wasserblauen Augen trübselig zum Fenster hinaus. Ratlos. Was war zu machen, wenn die Hunde alle mit H anfangen? Da fiel sein Blick auf die letzte Nummer des satirischen Wochenblattes »Der Wauwau«. Er las sie, und ganz zufällig las er auch den Namen des verantwortlichen Redakteurs: Dr. Derkow . . . »Derkow fängt mit D an, und Majestätsbeleidigungen zählen dreifach. Hm!«

Er besah sich das Blatt noch einmal, und zwar mit den Augen des Staatsanwaltes, welcher das strafbare Moment sucht.

Auf der zweiten Seite war ein Bild. Irgendein König saß auf dem Throne, über dem als Wappenbild ein Papagei angebracht war. Links und rechts waren ebenfalls zwei Papageien.

Unter dem Bilde stand etwas Ungeziemendes, etwas, was ich mit »höchst illoyal« bezeichnen möchte.

Karlchen dachte nach. »Der Wauwau« ist ein Blatt mit sehr anrüchiger Tendenz; der Witz ist ebenfalls sehr anrüchig. Zwei Momente wären gegeben. Es kommt darauf an, wer derjenige ist, welcher auf dem Throne . . . aah! Hurra! Hat ihn schon!

Karlchen war entzückt vom Stuhle aufgesprungen und durchmaß mit großen Schritten das Bureau. Er verschränkte die Arme und begann ein Selbstgespräch, während er sich vor den Spiegel stellte. »Herr Doktor Derkow, ich habe die Ehre!« Hier machte Karlchen eine Verbeugung. »So, so? Herr Doktor Derkow? Sie sind zwar schlau, sehr schlau sogar« – hier verbeugte er sich wieder – »aber es gibt Leute, die Ihnen gewachsen sind! Sehr gewachsen sind.« Bei diesen Worten drückte Karlchen das linke Auge zu. »Sie sollen sehen, daß vor der unerbittlichen Logik Ihre Hüllen zu Boden fallen.« Dies Letzte sprach er in drohendem Tone, und auf seine Stirne legten sich düstre Falten.

Noch denselben Tag schrieb er dreißig Seiten und beschuldigte auf jeder den Redakteur des »Wauwau«, daß er den König von Kalabrien höchst roh und gemein beleidigt habe.

An einem herrlichen Maientage mußte Derkow vor dem Landgericht erscheinen, um sich gegen diese Anklage zu verteidigen; denn das kalabresische Gesetz ist so abgefaßt, daß nichts zu klug für die Verteidigung und nichts zu dumm für die Anklage ist.

So ging er also hin, ruhig und gefaßt, aber lange nicht so heitern Gemütes wie Karlchen.

Der Gute hatte die ganze Nacht nicht geschlafen. Alle Zeitungen, welche den Fall im voraus besprachen, hatte er gekauft, und wo er in einem Artikel das Wort »Anklagebehörde« fand, unterstrich er es und schrieb an den Rand hinaus: id est Karlchen Bissinger, Königl. Kalabr. III. St. A.

Eine Stunde vor Beginn der Sitzung legte er die Robe an und studierte vor dem Spiegel einige bedeutende Posen. Feierliche Abnahme des Barettes, Aufrichten zur ganzen Höhe der sittlichen Entrüstung und Ausstrecken der Fangarme.

Die Verhandlung begann, – endlich, wie Karlchen in begreiflicher Ungeduld sagte. Im Saale war ein fürchterliches Gedränge. Die ganze Stadt wollte hören, wie das Gesetz mit dem boshaften Redakteur umspringen werde.

Derkow gab auf die Fragen des Vorsitzenden kurze, klare Antworten. Er begreife nicht, sagte er, wie er zu der Ehre komme, die Herren Richter zu so früher Morgenstunde begrüßen zu dürfen. Und er bedaure lebhaft, daß er sie vergeblich herbemüht habe. Aber *er* trage keine Schuld daran, *er* habe sich nicht erlaubt, den König von Kalabrien zu jenem verfänglichen Witze hinzuzudenken. Er nicht. Und dann schwieg er.

Jetzt erhob sich Karlchen, jeder Zoll ein Sicherheitsorgan.

Mit vibrierender Stimme begann er: »Das habe ich gewußt, meine Herren Richter, das habe ich vorausgesehen; ich habe gewußt, sage ich, daß jener Mensch nicht den Mut finden werde, sich frei zu dem zu bekennen, was ich ihm unterstellte. Er glaubt, auf diese Weise zu entrinnen. O nein! Meine Herren! Die Logik, die unerbittliche Logik hat nicht die Maschen, durch welche er entschlüpfen könnte. Seine Absicht ist versteckt, aber nur scheinbar. Betrachten Sie dieses Bild. Wir haben hier einen Thron. Also ist es ein König, der darauf sitzt.

Wir haben als Wappenbild den Papagei; und da der Papagei sehr geschwätzig ist ... und da ferner ... und weil ... und da ... und weil ... unser allergnädigster ... das heißt ... «

Hier blieb Karlchen stecken: er konnte nicht weiter. Einer der Beisitzer stellte sich hinter ihn, trat ihn furchtbar in die Kniekehle und flüsterte: »Maul halten! Sie Rindvieh!«

Es fiel ihm ein, daß er die unerbittliche Logik nicht zu Ende führen dürfe, er stotterte ein paar Worte, faßte sich endlich und sagte: »Kurz und gut, ich verlange diesen Menschen von Ihnen!«

Und dann setzte er sich; ziemlich niedergeschlagen und betäubt. Er hatte so wenig Kraft in sich, daß er sich nicht einmal über die Freisprechung des Dr. Derkow sittlich entrüsten konnte. Er holte dies andern Tages nach und sprach zwei Stunden lang mit dem staatsanwaltschaftlichen Hilfsschreiber über die zwingende Beweiskraft der unerbittlichen Logik und den bemerkenswerten Gehirnschwund bei älteren Richtern.

Von Thron, Altar und Revolution

Liebe um Liebe

Eine patriotische Stimmung

Durch Stoppelfelder und frisch gemähte Wiesen rollte ein Eisenbahnzug, und die buttergelbe Herbstsonne glänzte in die Fenster eines lackierten Salonwagens, der sich überhaupt in dieser Umgebung recht sonderbar ausnahm.

Darin saß Prinz Xaver, ein Seitensprosse des königlichen Hauses, und fuhr mit seinem Adjutanten, Rittmeister Baron Schröfel, nach Weißkirchen zur Landwirtschaftlichen Ausstellung, die unter sein Protektorat gestellt worden war.

Weil aber hier Herablassung und dort Untertanenliebe gezeigt werden sollte, hielt man überall; und wo größere Menschenmengen sich dem Auge darboten, fragte Prinz Xaver seinen Begleiter: »Muaß i?«

»Einen Augenblick, Königliche Hoheit!« antwortete alsdann der Baron und sah in seinem Notizbuche nach. »Faistenhamm... Kirchdorf... 163 Seelen... katholisch... 37 Pferde... 281 Stück Rindvieh... ja... Königliche Hoheit... da ist's vorgemerkt.«

Und Prinz Xaver hielt das edle große Haupt zum Fenster hinaus und blickte durch seinen Kneifer, den er nur bei solchen Anlässen trug, auf einige fette Herren, die das besitzende und bessere Publikum vorstellten.

»Diese Gegend«, sprach der Prinz, »ist sehr lieblich.«

»Han?« fragte ein Posthalter oder Tafernwirt, der mehr Treue als Schliff besaß.

»Diese Gegend, sie ist sehr reizvoll«, wiederholte der Prinz.

»Jawoi, Königliche Hoheit!«

»Sie ist von sanften Höhen durchzogen und mit Wäldern bedeckt...«

»Jawoi, Königliche Hoheit!«

»Aber das Auge erblickt auch fruchtbare Felder, welche den Fleiß des Landmannes belohnen und... und...«

»Jawoi, Königliche Hoheit!«

»Und...«

»Saftige Matten...« soufflierte der Adjutant.

»... und saftige Matten, welche dem kernigen Vieh dieses Volkes... welche dem Vieh dieses kernigen Volkes Nahrung bieten.«

Prinz Xaver rückte den Zwicker, der ihm von der schwitzenden Nase heruntergeglitten war, zurecht, und der Posthalter oder Tafernwirt schaute mit geistlosen Augen in die ebenso blauen des Königssprossen, und er fühlte, daß nunmehr die Aufgabe an ihn herangetreten war.

»Königliche Hoheit ... diese Gefiehle, wo ins heute besäligen ... durch dieses, daß Sie hier durchfahren und für Kinder und Kindeskinder ...«

Die Lokomotive pfiff, und da legte der Tafernwirt die ganze ungeheure Treuherzigkeit seines Landes in den Satz: »Pfüad Good, Königliche Hoheit, aufs Wiederschaugen, und kemman S' halt wieda zu ins außa ...« Er entschwand den gütigen Blicken des Fürsten, der sich in die Kissen zurückwarf, und sagte: »Dös hätt' ma wieda! Wo muaß i denn 's nächstmal?«

»Einen Augenblick, Königliche Hoheit!« antwortete Baron Schröfel. ». . . Sünzing . . . nein . . . Matzling . . . 214 Seelen . . . katholisch . . . 311 Stück Rindvieh . . . in Matzling werden Königliche Hoheit wieder sprechen.«

»O jegerl!« seufzte der Prinz und wiederholte gewissermaßen im Geiste jene Rede des Wohlwollens und lebendigen Interesses.

Nach zwei langen Stunden fuhr der Zug in Weißkirchen ein, wo ein Beamtenkörper, eine ergeben lächelnde Geistlichkeit, wo Veteranenvereine, Feuerwehren und Schützen, wo alles, was repräsentieren durfte, den kleinen Bahnhof füllte, nach vorwärts gedrängt von einer wimmelnden Menge, die in dem aussteigenden Prinzen, der sein quellendes Fleisch in eine blitzblaue Uniform gepreßt hatte, alles Anverwandte und Angestammte erblickte und darüber in ein gellendes Hoch ausbrach.

Ein kleiner, stülpsnäsiger, aufgeregter Herr gab sich dem Prinzen durch viele und schnell wiederholte Bücklinge als den zu erkennen, der hier als Erster zu beachten war, und als einen Titularregierungsrat und vorstehenden Chef des Bezirks.

Dicke Herren mit mehr landwirtschaftlicher Färbung der feisten Gesichter und Hälse wurden in zweiter Reihe als Tierärzte und Ökonomieräte und verdiente Braun- oder Fleckviehzüchter erkannt, und in veralteten, seit Jahren die Bäuche nicht mehr bedeckenden Gehröcken schoben sie sich vor, und ehe es sich der Prinz versah, war er von Leuten umringt, die als starke Esser viel animalische Wärme und als treue Untertanen eine ungemeine Ergebenheit ausstrahlten.

Und da ihre patriotischen Gefühle nirgends hinauskonnten, nicht durch die verknüllten Hosen, nicht durch die krampfhaft geschlossenen Westen, so drängten sie sich schweißtreibend nach oben und saßen hinter schwimmenden Augen, die sich auf ihr prinzliches Ebenbild richteten.

Der stülpsnäsige Herr hielt eine Rede, in der alle Gefühle, die weder er noch sonst wer hegte, in Superlativen ausgedrückt waren, und niemand lehnte sich innerlich dagegen auf.

Im Gegenteile hörte Prinz Xaver mit tiefem Ernste die erhabenen Tugenden aufzählen, die ihn und sein Haus schmücken sollten, obgleich er es doch besser wissen mußte, und gleichermaßen hörten alle Festgäste, die von Weißwürsten kamen oder zu Weißwürsten gingen, daß sie in diesem Augenblicke den Schwur der Treue erneuert hätten und Gut und Blut opfern wollten.

Ja, und darauf mußte etwas gesagt werden.

Der hohe Protektor umfaßte mit einem wohlwollenden Blicke diesen Patriotismus, der um ihn herum schwitzte und schnaubte, und sagte es.

»Diese Gegend«, hub er an, »sie ist sehr lieblich. Sie ist von sanften Höhen durchzogen und mit Wäldern bedeckt. Aber das Auge erblickt auch fruchtbare Felder, welche den Fleiß des Landmannes belohnen und . . . und . . .«

»Seine Königliche Hoheit lebe hoch!« schrie jetzt verfrüht, unzeitig und taktlos der Zimmermeister Schlegel, der immer etwas voraushaben mußte.

»Und saftige Matten . . .« fuhr Prinz Xaver fort, aber das Hoch hatte im Pulverfasse der angestammten Liebe gezündet, und die brausenden – oder auch donnernden – Rufe übertönten die letzten Worte vom Vieh des kernigen Volkes.

Der Protektor lächelte gerührt und wurde zum Wagen verbracht, rechter Hand die Stülpsnase, linker Hand den dicksten Fleckviehzüchter.

Er fuhr durch beflaggte Gassen an schreienden Menschen vorbei, grüßte allerleutseligst, sah die Herzen, die ihm entgegenschlugen, Triumphbögen, die sich wölbten, und langte auf dem Festplatze an, wo es nicht minder laut blökte, quiekte und brüllte von treuen Haustieren, die ihren Lärm nur so und unwissend warum vollführten. Da sah Prinz Xaver alles, was unter sein Protektorat gestellt worden war. Breitnackige Stiere, die ihn böse anblickten, wollige Schafe, die ihm mild ins Auge schauten; braune, gelbe, weiße Kühe, die ihre Rücken hoch zogen, wenn sie behaglichst ihre Wasser rinnen ließen, Kälber und Schweine.

Die Stülpsnase erklärte eifrig, aber ein besserer Menschenkenner, als Prinzen sind, hätte wohl merken können, daß der bewegliche Beamte auch nicht mehr verstand als der Protektor, welcher nur lebendige Eßwaren in dem Getier sah.

Auch in der viktualischen Abteilung überkamen Prinz Xaver mehr reflektierende als züchterische Vorstellungen. Bei den Krautköpfen dachte er an rosiges Surfleisch, beim Sellerie an gebratene Gänse, bei Kartoffeln an den Fürst und Volk einigenden Nierenbraten, und Rettiche sah er gebeizt, und Zwiebeln geschmort. – Als man zuletzt noch die Hühner, denen man harte und weiche Eier, Ochsenaugen und Rühreier verdankt, besichtigt, gut befunden und gelobt hatte, war so eigentlich die Aufgabe der Königlichen Hoheit erledigt.

Aber eine neuzeitliche Sitte ließ den Prinzen nicht sogleich zur Ruhe kommen.

Es geht ein demokratischer Zug durch unser Volk.

Die Tage, da es in alle Schulbücher kam, wenn der Fürst einen kleinen Mann aus dem Volke leutselig ansprach, sind vorüber, und heute spricht der kleine Mann leutselig den Fürsten an.

Ein Spenglermeister aus Sünzing fand hier den Mut, indem er vortrat, nach Bier roch und treuherzig sagte:

»Geh, Königliche Hoheit, unterschreiben S' de Kart'n an meine Spezeln, daß de aa r' a Freud hamm!«

Die Stülpsnase winkte ihm strenge ab, jedoch der Prinz lächelte und setzte seinen Namen auf die fettige Postkarte.

Ein schöner Moment trat ein. Fürst und Untertan Auge in Auge, und der wackere Spengler traf den Ton des echten Volksstückes, als er sagte:

»Königliche Hoheit... dös... dös... kimmt unter Glas und Rahmen, und in hundert Jahr no müass'n d' Leut' sehg'n...«

»Ist schon gut«, sagte die Stülpsnase und schob den Redner ungnädig weg, denn er roch wirklich sehr stark nach Bier, und auch wollten nun viele die gleiche Gnade erlangen.

»Königliche Hoheit... an insern G'sellenverein... dös war an Ehr' für Kinda und Kindeskinda...«

»Königliche Hoheit... an insern Stammtisch ›De Grüabig'n‹...«

Den Prinzen überkamen väterliche Empfindungen, er hielt diese Leute für anhängliche Kinder, ihre Wünsche für naiv, und er hatte keine Ahnung davon, daß hier gar nichts ehrlich oder tiefwurzelnd war, außer seiner eigenen Beschränktheit.

Er schüttelte gütig alle Hände, die sich in seine Rechte schoben, kalte und warme, trockene und feuchte, er unterschrieb wohlwollend alles und setzte seinen Namen neben Ober- und Niedermayer unter ihre Fröhlichkeit.

»Menschen ... Menschen san mir alle ... Jakob Schanderl, *Xaver, königlicher Prinz* ... Eins ... zwei ... drei ... g'suffa! ... Es lebe die Viecherei! Hans Breitsameter, Jakob Leistl, *Xaver, königlicher Prinz* ...«

Die Karten wanderten hinaus in die Kneipen des Landes, und wenn sie gleich nicht Ehrfurcht in Kindern und Kindeskindern erregen konnten, spannen sie doch Fäden vom zünftigen Prinzen zu zünftigen Stammtischen. Neue Fäden zum alten Bande, das Volk und Herrscherhaus verknüpft.

Die Hinterseer

An den Straßenecken der Residenzstadt X. waren große Plakate angeschlagen, welche verkündeten, daß die »Hinterseer« ihre Vorstellungen im Hoftheater mit dem oberbayrischen Gebirgsstücke »Der Schnackeltoni« am Heutigen beginnen würden.

Man war auf die schauspielerischen Leistungen dieser Kinder der bayrischen Alpen um so mehr gespannt, als die Tagesblätter seit Wochen rühmende Berichte über die urwüchsige, naive Kunst dieser einfachen Bauern gebracht hatten. Der berufenste Kritiker der Stadt, Herr Moritz Bärenthal, hatte noch gestern in seinem Theaterbriefe Nr. 288 geschrieben: »Es sind Bauern. Nur Bauern. Einfache, mit Lederhosen bekleidete Bauern. Aber was sie uns bieten, ist echte Kunst. Reine, unverfälschte Kost. Man verstehe mich. Ich sage nicht: es ist *die* Kunst. Ich sage nicht, daß sie allen meinen Vorschriften in Brief 68 und 132 (siehe diese) entspricht. Aber es ist *doch* Kunst. Die Stücke sind gut. Man gehe hinein. M. B.«

Ein anderes Blatt hatte ein Feuilleton über die Hinterseer gebracht. Die bekannt geistreiche Verfasserin desselben schrieb: »Aus diesen Volksstücken weht es uns entgegen wie Waldesluft und Bergesodem. Wir hören das Murmeln der Bäche und das Rauschen der Bäume, und über alledem schwebt leise verklingend ein melodischer Jodler aus der Kehle eines drallen

Bauernmädchens, während im Hintergrunde der ›Bua‹ jauchzend und hüpfend einen Schuhplattler tanzt:«

Kein Wunder also, daß die erste Aufführung der Hinterseer das ganze gebildete Publikum der Stadt im Hoftheater versammelte.

Auch Serenissimus hatte sich mit Allerhöchstdero Gemahlin eingefunden. In eingeweihten Kreisen erzählte man sich, daß der hohe Herr vor Beginn der Vorstellung sich heiter angeregt von dero Gemahlin über das Milieu hatte belehren lassen.

Die höchste Frau war nämlich vollständig vertraut mit den Sitten und Gebräuchen des Gebirgsvolkes, da Höchstsie einige Male bereits durchgereist waren.

Ihre Durchlaucht schilderten den bekannten Stolz des reichen Bauern, welcher seine Töchter nur wiederum an Bemittelte verheiratet, was insofern nicht ganz den Intentionen der hübschen Landmädchen entspricht, als diese gewöhnlich ihre treuherzige Zuneigung einem Bediensteten des Vaters schenken. Durchlaucht erwähnten dann noch den rührenden Kampf zwischen Pflicht und Liebe seitens der Tochter, berührten auch die Entsagung des armen Knechtes, den Konflikt desselben mit dem starrköpfigen Alten und bemerkten, daß alle diese Gefühle am Schlusse des Stückes durch Patschen auf die entblößten Knie rhythmisch zum Ausdrucke gelangen.

Serenissimus hörten sichtlich interessiert zu und waren sich beinahe im klaren, als das Stück begann.

Es war eine echte, taufrische Dichtung.

Die Tochter des reichen Freihofbauern liebte den Flößer Toni, welcher der beste Schütze und Kegelschieber rundum war.

Der Alte hatte beschlossen, seine Afra an den buckeligen Sohn des steinreichen Holzhändlers Schmid zu verheiraten. Alles war besprochen und verabredet zwischen den Eltern.

Da kommt plötzlich die Entdeckung, daß der arme Schnakkeltoni diese Pläne stören will.

Bei einem Preiskegeln ist der Freihofbauer über die Kunst des strammen Burschen so entzückt, daß er ihm freistellt, einen Wunsch zu äußern, gleichviel welchen; er wolle ihn gewähren. Und als Toni das nicht glaubt, schwört er bei seiner Ehre und dem Grabe seiner Eltern.

Da wünscht der Übermütige die Hand der Afra Wegleitner zum ehelichen Bunde!! Der nächstfolgende Akt schildert pakkend den Seelenkampf des Alten, welcher vor der schweren Wahl steht, ob er dem Holzhändler Schmid oder dem Floßknechte Toni das gegebene Wort brechen soll. Er entscheidet sich schweren Herzens zu letzterem und greift mit rauher Hand in das Lebensglück seiner Tochter, welche nach einem schrecklichen Kampfe zwischen Eltern- und Burschenliebe den Helden des Stückes in die Fremde schickt. Toni zieht in den Krieg, rettet bei Sedan einen Oberst und zwei Generäle, erhält das Eiserne Kreuz, wird verwundet und sieht im Lazarett seine Afra wieder, welche Krankenpflegerin geworden ist. Im letzten Akte kommt die Versöhnung. Der alte Wegleitner will immer noch starrköpfig den Floßknecht verschmähen, da bringt der Bürgermeister ein Handschreiben des Königs, welcher die Ehe der lieblichen Alpenrose mit dem tapferen Ritter des Eisernen Kreuzes befiehlt.

Wortlos starrt der Alte auf den Brief.

Mit zitternder Stimme sagt er: »Wos? Vom Kini? Von unserm Kini? An Briaf von unserm Kini? No, Toni, da hast halt dei Afra! Bal's da Kini selber hamm will, ko der Freihofbauer net dagegen sei. Leutln, spielt's oan auf!«

Und nun beginnt auf der Bühne, welche sich rasch mit Burschen und Mädeln füllt, ein lustiges Tanzen, Stampfen und Patschen.

Serenissimus waren sichtlich ergriffen und befahlen die Darsteller der Hauptrollen zu sich. Der Intendant von Pritzelwitz geleitete die Naturkinder in die Loge. Sie schoben sich schwerfällig in den vornehmen Raum, und ihr Wortführer, der »Fischersimmerl«, begrüßte die hohen Herrschaften mit der naiven Schlichtheit seines Volkes.

»Grüaß di Good, Herr Fürst! Grüaß di Good, Frau Fürstin! Seid's alleweil g'sund beinand?«

»Äh, was? was sagt der Kärl?« fragte Serenissimus.

»Er frägt Euer Liebden nach dero Wohlergehen«, flüsterte die Herzogin.

»So, so? hm! Äh, äh ... sagen Sie mal, mein Lieber, woher sind sie eigentlich?«

»Vo Hintersee außa, z' allerhöchst im Gamsgebürg.«

»Wie? Was sagt der Kärl?«

»Er bemerkt, daß er aus dem Hochgebirge ist, Euer Liebden.«

»So? Äh ... sagen Sie mal, patschen bei Ihnen zu Hause die Leute alle so stark auf die Knie?«

»Du moanst an Schuahplattler, Herr Fürst? Da hast recht. Woaßt, des is unser Nationaltanz; da leg ma alles nei, was mir hamm, inser Herz und inser G'müat und die Liab zu insern Herrscherhaus.«

»Schon gut, hm, äh, äh . . . schon gut. Ich verstehe den Kärl absolut nicht, der stottert ja! Sagen Sie mal, Pritzelwitz, der Kärl war doch ein ganz gewöhnlicher Bauer? Was?«

»Ja, Euer Liebden.«

»So, wie die Kärls bei uns, die, die Mist schieben, was?«

»Genau so, Euer Liebden.«

»Und jetzt ist er Künstler, he?«

»Ja, Euer Liebden. Ein ganzer, echter, deutscher Künstler.«

»Märkwürdig, hm, äh . . . märkwürdig! Geben Sie den Kärls ein paar Medaillen für Kunst und Wissenschaft.«

Mit einer gnädigen Handbewegung entließ der Fürst die kunstfreudigen Landbewohner.

Woldemar

Woldemar von Plassow, Leutnant der Reserve im zweiten Gardegrenadierregiment und nebenbei Staatsanwalt am Landgerichte zu Berlin, saß in einem der feinen Restaurants und blickte düster vor sich hin.

Außer ihm war kein Gast in dem spärlich beleuchteten Lokale; der Pikkolo übte sich auf dem Billard in Kunststößen, und der Oberkellner stand träumerisch an das Büfett gelehnt und gähnte hinter der vorgehaltenen Hand. Draußen wirbelten die Schneeflocken und hüllten die Erde in eine weiße Decke, die jeden Laut verschlang.

Die feierliche Stille schlich durch die Fenster herein und breitete sich aus in dem Zimmer.

Man hörte nur das Ticken der Uhr und das Knirschen der Billardkreide, dann wieder das eintönige Klappern der Bälle.

Es war Christabend.

Von Plassow las alle Zeitungen, welche auflagen.

Er las die Schilderung des germanischen Julfestes, an welchem bekanntlich die mit Tierhäuten bekleideten Ahnen eine Wildsau verspeisten.

Er las acht Novellen, welche von Damen verfertigt waren

und das alte Mädchen zum Gegenstand hatten, das an diesem Abende doch noch zu einem Manne kommt.

Er überzeugte sich aus einem Dutzend Noveletten, daß heiratsfähige junge Damen immer noch zu dem armen Flickschneider im fünften Stocke gehen und den sieben Kindern desselben persönlich bescheren, wobei sie dann von einem jungen Manne überrascht werden, der in seiner Gutherzigkeit denselben Zweck verfolgte.

Er sah, daß auch heuer wieder der kleine Schiffsjunge im Mastkorb von der Heimat träumte und der alte Junggeselle mit Tränen in den Augen eine verblichene Photographie betrachtete und seufzend fragte, warum er sie eigentlich nie geheiratet habe.

Dies alles stimmte von Plassow nachdenklich.

Die seligen Kinderjahre traten vor sein geistiges Auge. Er sah sich selbst, wie er als blondgelockter Junge vor dem lichterstrahlenden Christbaume stand, und wehmütig, soweit er dies als Staatsanwalt vermochte, verglich er das Einst mit dem Jetzt.

Der Zauber der Christnacht begann auf ihn zu wirken.

Ihm kann sich ja kein deutsches Gemüt entziehen. – – –

Sollte er verdorren wie ein Baum, der keine Äste treibt, sollte es immer so einsam um ihn bleiben, so einsam?

Er sah, wie in diesem Augenblicke der Oberkellner wiederum den Mund zu einem weiten Gähnen öffnete, und Ekel erfaßte ihn vor diesem öden Gasthausleben.

Wie anders, wenn er in seinem trauten Heim säße und die blonden Jungen um ihn spielten und ihm jubelnd die Geschenke zeigten.

Und wenn er dann den Aufhorchenden das Märlein vom Christkinde erzählte, das durch den deutschen Wald fliegt, wie die schneebedeckten Äste sich vor seinem lichten Glanze neigen und ein leises Singen durch den dunklen Forst ertönt. Die Augen wurden ihm feucht. Er griff rasch nach dem Taschentuche.

Da fühlte er ein knisterndes Papier und zog ein verknittertes Kuvert aus der Tasche.

Richtig, das hatte er ganz vergessen. Hastig öffnete er es und las:

>>Zur Bescherung ladet Euer Hochwohlgeboren ein

ergebenster
Nathan Pinkus,
Kommerzienrat.<<

Seltsame Fügung!

Von Plassow las die Zeilen wieder und wieder.

Dann stand er in plötzlichem Entschlusse hastig auf, griff nach Mantel und Hut und verließ das Lokal.

Der Oberkellner wünschte ihm gähnend vergnügte Feiertage, und der Pikkolo machte einen Kicks, der schrill durch den Saal tönte. –

Eine halbe Stunde später hielt er die Tochter des Herrn Kommerzienrates Pinkus in seinen Armen, welche verschämt lispelte: »Ich hab' schon gemeint, du wirst nie kommen, Woldemar!«

Mucki

I

Auf Schloß Riedenburg herrschte lebhaftes Treiben. Galt es doch heute die Vierzehner Husaren, welche in Riedenburg und Freudenberg einquartiert werden sollten, gebührend zu empfangen, galt es doch, die tapferen Reiter nach dem scharfen Ritte zu erquicken und ihnen zu zeigen, daß des Königs Rock überall geehrt wird, wo treue Deutsche wohnen.

Der Besitzer Riedenburgs, Graf Sacken, legte die letzte Hand an die Toilette.

Wie er vor dem Spiegel stand und den starken Schnurrbart, in welchen der Herbst des Lebens graue Fäden gewoben hatte, strich, konnte er sich eingestehen, daß er noch immer in männlicher Vollkraft stand.

Besonders heute, wo seine Augen so eigen leuchteten, als erinnere ihr feuchter Glanz an die schöne, verschwundene Zeit, da er selbst in herrlicher Jugendblüte bald den feurigen Araberhengst tummelte, bald den Eisengeschossen der Feinde die tapfere Brust darbot.

Und wenn er sich dieses Kompliment nicht selbst machte, so konnte er es bald von zartem Frauenmunde hören.

Im Rahmen der Türe erschien Gräfin Sacken.

Jeder Zoll eine Fürstin!

Man sah es ihr an, daß in ihren Adern das Blut der einst hochgefürsteten Waldow-Zeschlitz rollte, daß sie der Reihe ruhmreicher Ahnen entstammte, welche vor Akkon das Banner der Kreuzfahrer auf die feindlichen Wälle pflanzten.

Heute huschte ein zartes Lächeln über die sonst aus Stein gemeißelten Züge, wie Sonnenschein über den Marmor Carraras.

Der Graf, ein Kavalier aus der alten Schule, eilte auf die Gemahlin zu und küßte ihr nach einer ritterlichen Verbeugung die Hand.

»Adelaide«, flüsterte er in verhaltener Leidenschaft, »ist dir der heutige Tag keine Erinnerung? Bebt in dir nichts? Zittert in dir nicht der Nachklang jener seligen Stunde, wo ich zum ersten Male, den Dolman in der eisernen Faust, vor die errötende Jungfrau hintrat und in den erglühenden Wangen, in den leuchtenden Augen die Erwiderung der seligsten Gefühle las und zum ersten Male den Grund legte zu dem erhabenen, beglückenden – äh – bunde –«

Hier mußte Graf Sacken Atem holen . . .

In dem schlanken Körper der Gräfin arbeitete etwas.

Dann brach es hervor mit ungestümem Jauchzen:

»Orthur!«

In der mächtigen Erregung sprach sie das »A« so tief aus.

Die Abendsonne schickte ihre Strahlen in den Salon und beleuchtete die Gruppe der beiden, welche sich umschlungen hielten. – – Lange, lange. – – –

II

Komtesse Mucki saß auf dem Kirschbaume.

Ihr reizendes Oval blickte durch die Zweige über die Gartenmauer auf die staubige Landstraße, welche von Rebendorf nach Riedenburg führt.

Von dorther sollten die Husaren kommen.

Komtesse Mucki war in jenem Alter, wo die Jungfrau sich entwickelt, wie der Schmetterling aus der Raupe.

Ihr Gesichtchen verriet noch die reizende Naivität der Kindheit, und doch blickten die Augen schon so abgrundtief, so eigen, als sähen sie das süße Geheimnis, als träumten sie von Liebesglück und Liebesleid.

Die schwellenden Formen zeigten, daß sie Weib geworden war, und doch schien sie wiederum ein Mädchen, wenn man den üppigen Zopf sah, welcher bis zur Hüfte niederfloß.

Mucki pflückte eine Kirsche nach der andern und aß sie mitsamt den Steinen. Dabei schaukelte sie sich neckisch auf dem Aste und baumelte mit den Füßchen.

Heute sollen die Husaren kommen. Die Husaren!

Was das nur ist, so ein Husar?

Und wie sie aussehen werden?

Papa hatte ihr einmal zu Weihnachten einen Nußknacker geschenkt, der eine rote Uniform anhatte; die Augen waren ganz klein, der Mund schrecklich weit, und unter der Nase war ein großer, großer schwarzer Schnurrbart.

Ob alle Husaren so aussehen? Prrr!!

Mucki schüttelte ihren reizenden Körper und wäre beinahe vom Aste heruntergefallen. Dann pflückte sie wieder Kirschen und aß sie mitsamt den Steinen.

In diesem Augenblicke zeigte sich auf der Straße eine mächtige Staubwolke, welche näher und näher kam.

Nun sah man blitzende Waffen, hörte das Trappeln der Pferde, dröhnende Kommandorufe, und da fiel auch schon die Musik ein mit einem schmetternden Marsche.

In geraden Reihen, Roß und Reiter wie aus einem Gusse, so zogen die stolzen Scharen an der Gartenmauer vorüber, und mehr als ein gebräuntes Männerantlitz blickte zum Kirschbaume empor, wo aus den grünen Zweigen zwei Mädchenaugen auf sie herunterblickten, wie glänzende Sterne am Nachthimmel.

In der letzten Reihe ritt ein junger Leutnant. Die edelgeformten Züge, der starke schwarze Schnurrbart, die blitzenden Augen, das alles gab ein Bild männlicher Schönheit. Als er am Kirschbaume vorbeikam, stieg sein Streitroß in die Höhe, gehorchte aber zitternd dem Drucke der ehernen Schenkel.

Mucki stieß einen Schrei aus, der Leutnant blickte nach oben, und da tauchten ihre Augen ineinander, lange und tief, fragend und bejahend. Eine Saite klang in ihrem Innern, und die Schwingungen bebten fort in den Herzen der beiden.

Mucki ließ sich vom Baume herunter. Ihre Brust hob und senkte sich stürmisch, traumverloren irrten ihre Blicke umher, und von ihren Lippen kamen leise, leise die Worte:

»Also *das* ist ein Husar?? – – –!«

III

An der glänzenden Tafel saßen die ritterlichen Gestalten der Offiziere. Neben der Dame des Hauses hatte der Oberst Platz gefunden.

Die Liebenswürdigkeit, welche seine Züge erhellte, vermochte ihnen doch nichts von der gewaltigen Energie zu nehmen, welche darin ausgedrückt lag.

Man fühlte es unwillkürlich: dieser Mann mußte *furchtbar* sein, wenn er an der Spitze der todesmutigen Scharen in die feindlichen Karrees einhieb oder beim Schmettern der Trompeten mitten in die feindliche Batterie sprengte, Tod und Verderben sprühend und alles vor sich niederwerfend, die erbeutete Fahne in der Linken, und mit der Rechten noch sterbend das Hoch auf den König ausbringend.

Ob wohl seine Gedanken jetzt auf den Schlachtfeldern weilten? Auf der Bahn zum Ruhme im Schlachtengrollen und Pulverdampf? Wer weiß es?? ...

Die Gedanken der jungen Leutnants waren sicherlich freundlicheren Dingen zugekehrt. Wie sie so träumend vor sich hinblickten, wie ihre Augen aufleuchteten in seliger Erinnerung, da konnte man es wohl deutlich sehen, daß sie eingedenk waren süßer Stunden und an ein Paar frischer, roter Lippen dachten. –

Der Fisch war abserviert, und die Diener eilten mit den mächtigen Bratenschüsseln herbei.

Der Oberst erhob sich und klopfte mit dem Messer an den Champagnerkelch. Mit dröhnender Kommandostimme sprach er: »Kammrraden! Wir Hussarren sind überall zu Hause. Der rauhe Krieger bettet sein Haupt unbekümmert auf den harten Stein und den weichen Pfühl. Aber wenn er so gastliche Hallen findet, wie heute wir, dann fühlt er doppelt, daß es sein Beruf ist, die Heimat zu schützen.

Und wenn der König ruft, sei es gegen den inneren oder den äußeren Feind, dann wollen wir einhauen, jawoll, einhauen, wie es Sr. Majestät Hussarren geziemt.

Kammrraden! Die Dame des Hauses Hurra! Hurrraaa! Hurrraaaa!«

Jubelnd fielen die Krieger in den dröhnenden Ruf ein, und in ihren Augen leuchtete es wie Schlachtenfreude und Todesmut.

IV

Das Souper war beendet und die Tafel aufgehoben.

Gräfin Sacken hatte die ehrfurchtsvollen Verbeugungen der Offiziere mit majestätischem Verneigen ihres Hauptes erwidert und sich mit Mucki zurückgezogen.

Die jugendliche Komtesse blickte unter der Türe noch einmal rasch zurück nach der Stelle hin, wo der schöne Leutnant stand.

Graf Schlupf, so hieß der Glückliche, fing den Blick auf, und das selige Aufleuchten in seinen großen Augen bewies Mucki, daß auch er sie gesucht hatte.

Dann verschwand sie wie ein holdes Traumbild.

Schlupf preßte die Hand an das kühne Herz. Sein Oberst sprach mit ihm, aber das Unerhörte geschah:

Er hörte die Worte seines von ihm mit glühender Begeisterung verehrten Vorgesetzten nicht.

Seine Blicke irrten an ihm vorbei, sie huschten durch die Türe, den Gang entlang, wo sie immer noch einen reizenden braunen Zopf suchten.

Und als der Oberst sich ungnädig abwandte, da fühlte Schlupf wohl, wie sein Herz sich schmerzlich zusammenzog, aber der Magnet zog ihn unwiderstehlich an, und plötzlich, er wußte nicht wie, stand er im Palmenhause.

In dem magischen Lichte des Mondes, welches durch die Fenster hereinflutete, erblickte er eine Gestalt, deren Anblick ihm das Blut zum Herzen und wieder zurück jagte.

Sie war's! Im reizendsten Negligé! Da brach es aus ihm hervor, wie ein zurückgehaltener Bergstrom, der plötzlich die Dämme überflutet.

»Komtesse! Mucki!« jauchzte er, »Sie sind es? Nein, laß mich dich Du nennen in dieser einsamen Stunde, wo uns niemand belauscht, als die keusche Luna. Muß ich dir erst sagen, was ich für dich fühle, wie meine Pulse dir entgegenschlagen, und wie mein ganzes Ich sich verzehrt – äh – sich verzehrt in unnennbarer Sehnsucht, in brennendem Verlangen, wie mein ganzes bisheriges Leben in schalem Nichts versinkt vor der Wonne des ersten seligen Augenblickes, wo unsere Augen ineinander flossen und die Wogen über mir zusammenschlugen, äh, äh, äh . . .«

Schlupf merkte erst jetzt, daß ihm der vordere Zahn im Schwalle seiner Worte herausgefallen war, und er wandte deshalb den Kopf zur Seite.

Mucki aber flüsterte errötend: »Teuerster Graf, ich komme im Augenblicke wieder, ich muß noch einen Gang machen.«

Dann enteilte sie, so rasch sie konnte.

Es war ihr so eigentümlich *weich* geworden.

Sie wußte nicht, ob von den Kirschen oder der großen Liebe. – – –

Das Duell

PERSONEN:

Professor Dr. Adolar Weller
Elsa, seine Frau
Botho von Lenin, Gutsbesitzer, Major a. D. | Eltern der
Gertrud, seine Frau | Frau Dr. Weller
Hans von Lenin, Assessor, deren Sohn
Fritz von Platow, Leutnant
Wilhelm von Sassen, Leutnant

Szene: Wohnzimmer des Dr. Adolar Weller. Gewöhnlich möbliert.
Professor Weller sitzt am Schreibtische. Es klopft.

DR. WELLER: Herein! *W. von Sassen in Infanterieuniform tritt ein.*

SASSEN: Habe ich die Ehre, Herrn Professor Dr. Weller zu sprechen?

DR. WELLER: Gewiß.

SASSEN *steif:* Gestatten! Wilhelm von Sassen, Sekondeleutnant. Sie hatten gestern kleines Rencontre mit Kamerad von Platow?

DR. WELLER: Ich hatte eine sehr ernste Sache . . .

SASSEN: Na, das geht mich nichts an. Ich habe Ihnen im Auftrage des Herrn von Platow eine Forderung zu überbringen. Pistolen. Fünfzehn Schritt Distanz. Dreimaliger Kugelwechsel.

DR. WELLER: Was? Herr von Platow fordert mich? Das ist stark!

SASSEN: Ich bitte, keine Kritik. Bin lediglich Kartellträger. Wollen mir Dritten bestimmen, mit dem ich Näheres vereinbare.

DR. WELLER: Da hört doch alles auf.

SASSEN *drohend:* Sie verweigern die Satisfaktion?

DR. WELLER *sehr bestürzt:* Weigern? Nein. Das heißt, ja. Oder vielmehr, das ist unglaublich. Satisfaktion, das heißt doch Genugtuung, die verlangt doch nur der Beleidigte. Nicht der Beleidiger. Erlauben Sie mir, das ist doch keine Vernunft!

SASSEN: Das spielt hier keine Rolle. Ich komme in einer Stunde wieder und erwarte Ihre definitive Entscheidung. *Ab.*

DR. WELLER *erregt auf- und abgehend:* Das ist unglaublich. Das ist unerhört. Ich erwische den Herrn in der denkbar kitzlichsten Situation bei meiner Frau – und er will dafür von mir Genugtuung haben. Er von mir! *Botho von Lenin, seine Frau und sein Sohn treten rasch ein:* 'n Tag!

BOTHO VON L.: Hier sind wir.

DR. WELLER: Grüß Gott, Papa, grüß Gott, Mama.

BOTHO V. L.: Dein Telegramm kam gestern abend. Was ist los?

DR. WELLER: Eine sehr unangenehme Sache.

FRAU VON L.: Elschen ist doch nicht krank?

DR. WELLER: Sie ist sehr gesund – aber, um es kurz zu sagen,
sie hat mich betrogen.

BOTHO VON L.: Herr Schwiegersohn!

FRAU VON L.: Eine Lenin betrügt nicht!

ASSESSOR VON L.: Was erlauben Sie sich eigentlich?

DR. WELLER: Bitte, es handelt sich nicht um glauben oder
nicht glauben. Elsa ist geständig.

BOTHO VON L.: Wer ist der Schurke?

DR. WELLER: Ein Herr von Platow.

ASSESSOR VON L.: Der bei den Gardehusaren stand?

DR. WELLER: Ja.

BOTHO VON L.: Das ändert die Sache allerdings.

FRAU VON L.: Jedenfalls ist er von Familie.

DR. WELLER: Ich kann den Unterschied nicht sehen – aber ich
habe Elsa verziehen.

BOTHO VON L.: Na, sieh mal! Das ist doch das einzig Richtige!

ASSESSOR VON L.: Derartige Affären sind erst unangenehm,
wenn Skandal entsteht.

DR. WELLER: Ich liebe Elsa – und ich dachte an ihre Jugend.

FRAU VON L.: Sie ist noch ein Kind, ein törichtes kleines Kind!
Sie dachte sich vielleicht gar nichts dabei.

BOTHO VON L.: Es is ja nich schön – aber du lieber Gott! Wir
sind alle mal jung gewesen. Je weniger darüber gesprochen
wird, desto besser.

FRAU VON L.: Und wenn du nicht zu hart gegen sie warst, wer-
det ihr euch herzlich versöhnen, und sie wird dir auch nichts
nachtragen.

ASSESSOR VON L.: Die ganze Kiste ist wieder beigelegt.

DR. WELLER: Es kommt noch ein Nachspiel.

BOTHO VON L.: Du wirst doch kein unliebsames Aufsehen erregen wollen mit Scheidung oder Prozeß oder so was?

FRAU VON L.: Nur keine Sensation!

DR. WELLER: Ich sagte euch doch, ich habe ihr verziehen –
aber Herr von Platow hat mir eine Pistolenforderung geschickt.

BOTHO VON L.: Wieso?

ASSESSOR VON L.: Hat ein Wortwechsel stattgefunden?

DR. WELLER: Nein, eigentlich nicht. Die Sache ging zu schnell. Als er mich sah, stürzte er zur Türe hinaus, nimmt den Säbel vom Nagel, und die Treppe hinunter. Ich schrie ihm nach: »Sie sind ein gemeiner Mensch!« »Was?« sagte er. »Jawohl!« sagte ich. Da wollte er wieder herauf, mit dem Säbel in der Hand. Ich schlug aber schnell die Türe zu.

ASSESSOR VON L.: Na, also!

DR. WELLER: Was?

ASSESSOR VON L.: Da ist es selbstredend, daß er Sie fordert. Er darf doch keinen Schimpf hinnehmen.

DR. WELLER: Ich habe ja bloß die Wahrheit gesagt. Es war doch eine Gemeinheit.

ASSESSOR VON L.: Erlauben Sie, Verehrtester, in unseren Kreisen kann man mal eine Gemeinheit begehen, aber man läßt sich nicht gemein heißen.

BOTHO VON L.: Das ist doch ein kolossaler Unterschied!

FRAU VON L.: Das sollten Sie aber wirklich verstehen!

DR. WELLER: Wie? Er beleidigt mich auf das Schwerste, und dann verlangt er Genugtuung, als sei *ihm* Unrecht geschehen. Viel eher hätte ich doch Grund gehabt, ihn zu fordern.

ASSESSOR VON L.: Allerdings.

BOTHO VON L.: Wie konntest du das unterlassen?

DR. WELLER: Weil ich mich und Elsa nicht bloßstellen wollte. Ihr sagtet doch selbst, daß die Versöhnung das Richtige war.

ASSESSOR VON L.: Der Zweikampf ist etwas so Ritterliches, daß er niemals bloßstellen kann. Außerdem veröffentlicht man ja nicht die Gründe.

DR. WELLER: Wenn niemand etwas von der Sache weiß, brauche ich mich doch auch nicht zu schießen.

ASSESSOR VON L.: Aber erlauben Sie mal, Schwager!

FRAU VON L.: Welche Ansichten!

BOTHO VON L. *pathetisch:* Es gibt doch noch etwas Höheres in unserer Brust, so etwas, was man *Ehre* heißt.

DR. WELLER *zornig:* Das hättest du deiner Tochter gründlicher beibringen sollen, dann wäre es vielleicht nicht so weit gekommen.

ASSESSOR VON L. *scharf:* Meine Schwester braucht keine Belehrung über Ehre. Die ist ihr angeboren. Sie wird jederzeit einen Skandal zu vermeiden wissen.

FRAU VON L.: So'n Kind!

DR. WELLER: Hat sie nicht ihre Frauenehre weggeworfen?

ASSESSOR VON L.: Das sind populäre Phrasen!

Botho von L.: In unseren Kreisen wirft man nicht mit so starken Ausdrücken herum, lieber Adolar. Und überdies, wie gesagt, solche intimen Familienvorkommnisse haben nur dann etwas Entehrendes, wenn sie publik werden.

Dr. Weller: Schön. Wenn das eure Moral ist, dann wendet sie gefälligst auch auf das Duell an.

Assessor von L. *sehr scharf, jede Silbe im Gardejargon betonend:* Herr Schwager! Ich bedaure sehr, daß Sie erst darüber belehrt werden müssen. Der germanische Ehrbegriff duldet keine Sophistik, absolut keine Sophistik. Die Ehre ist ein Spiegel, welcher durch den leisesten Hauch getrübt wird. Solche Flecken können nur mit Blut abgewaschen werden, einfach mit Blut. Das ist der germanische Ehrbegriff. Gott sei Dank!

Dr. Weller: Herr von Platow ist wohl auch Anhänger dieser Theorie?

Assessor von L.: Selbstredend. Als Edelmann und Off'zier!

Dr. Weller: Dann verbietet also der germanische Ehrbegriff nicht, den Mann zu betrügen, an dessen Tisch man sitzt, und dessen Hand man schüttelt.

Assessor von L.: Sie sprechen in Tönen, welche wir schon kennen.

Botho von L.: Das sind die alles nivellierenden Lehren, die vor nichts halt machen und selbst das Heiligste, was wir haben, unsere Armee, verunglimpfen.

Dr. Weller: Das sind Begriffe von Recht! Großer Gott!

Assessor von L.: Das sind Begriffe, die Geltung behalten werden. Jeder kann mal 'ne Dummheit machen. Ein Kavalier steht dann eben mit der blanken Waffe dafür ein.

Botho von L.: Und tut damit genug. Daher der Name Genugtuung.

Dr. Weller: Ich will aber keine Genugtuung. Ich habe doch Elsa verziehen. Wenn ich ihr nicht verzeihen wollte, dann hätte ich das Gericht angerufen.

Frau von L.: Das Gericht! Pfui!

Botho von L.: Beim Gericht sucht nur der Pöbel sein Recht.

Assessor von L.: Sich vor der Öffentlichkeit herumbalgen! So eine Idee!

Dr. Weller: Sie sind doch selbst Jurist! Und werden Richter!

Assessor von L.: Erlauben Sie, in solchen Fragen hat der Jurist einfach zu verschwinden. Ich bin in erster Linie Reserv'-Off'zier und Corpsphilister.

Dr. Weller: Mit Gründen ist bei euch nicht durchzukommen, weil ihr sie stets mit Phrasen totschlagt. Aber sagt einmal, *zu den Eltern gewendet:* wollt ihr, daß ich, der Mann eurer Tochter, mich mit ihrem Verführer schieße?

Botho u. Frau v. L. *unisono:* Aber so eine Frage! Natürlich!

Assessor von L.: Der germanische Ehrbegriff!

Dr. Weller: Papa, du bist bekannt als eifrigster Anhänger der Kirche; du hast erst neulich im Abgeordnetenhaus eine große Rede gehalten, daß man das Volk zur Religion anhalten müsse.

Botho von L.: Das Volk!

Assessor von L.: Immer diese Begriffsverwirrung!

Dr. Weller: Die Religion verbietet das Duell.

Botho von L. *salbungsvoll:* Mein Sohn! Gewiß ist die Religion das Höchste, und gewiß bedürfen wir derselben in allen Dingen. Denn was wäre der Mensch ohne Religion? Gewiß ist das Duell eine Sünde. Aber wer ist ohne Sünde? So lange es eben eine Sünde gibt, wird es Streit unter den Menschen geben. Und so lange es verschiedene Menschen gibt, werden sie den Streit verschieden austragen. Die Religion kann und will aber sicher niemals die Standesunterschiede aufheben. Im Gegenteil. Wir können bedauern, daß es eine Sünde gibt, aber es wäre vermessen, sie abzuschaffen.

Assessor von L.: Und der spezifisch germanische Ehrbegriff.

Botho von L.: Gewiß! Auch der hat Rechte. Wir müssen eben versuchen, als demütige Christen unsere Standespflichten mit der Religion so in Einklang zu bringen, daß beide sich vertragen. Wir müssen eben Kompromisse schließen.

Dr. Weller: Und was sagst du, Mama?

Frau von L.: Ich bin eine geborene von Connewitz.

Assessor von L.: Das jenügt!

Dr. Weller: Gut! Wenn ihr mich treibt, dann soll das Ärgste geschehen. Aber ich will zunächst Elsa hören. Sie soll entscheiden.

Botho von L.: Da kommt sie gerade. *Elsa tritt auf.*

Elsa: Ihr seid hier?

Botho von L.: Adolar hat uns telegraphiert.

Frau von L. *umarmt sie:* Armes Kind, was mußt du gelitten haben!

Elsa: Es war fürchterlich, Mamachen.

Botho von L.: Wir wissen alles, aber wir verzeihen dir.

Frau von L.: Wie ist das nur gekommen?

ELSA: Ach, die Köchin ist schuld. Wenn sie nicht so den Kopf verloren hätte, wäre alles gut gegangen. Adolar hätte nichts gemerkt und wäre glücklich.

FRAU VON L.: Du hast das dumme Tier doch sofort hinausgeworfen?

ELSA: Natürlich. Noch gestern abend. Aber es ist ja alles wieder gut. Adolar hat mir verziehen.

FRAU VON L.: Wir wissen es.

DR. WELLER: Es ist aber noch nicht alles gut, Elsa. Ich habe dir verziehen. Herr von Platow jedoch verzeiht mir die Überraschung nicht und will, daß ich mich mit ihm schieße.

ELSA: Er ist doch jeder Zoll ein Kavalier!

DR. WELLER: Du findest das schön?

ELSA: Ich finde es selbstverständlich.

BOTHO UND FRAU VON L.: Sie ist unsere Tochter.

DR. WELLER: Du bist damit einverstanden, daß ich mich vor die Pistole stelle?

ELSA: Es ist doch allgemein Usus.

DR. WELLER: Nach allem, was zwischen uns vorgefallen ist, sagst du das?

ELSA: Ich kann doch nicht anders. Sei stark, Adolar!

DR. WELLER *zum Assessor:* Herr Schwager, die Nerven Ihrer Familie sind stärker als die meinigen. Ich will dem germanischen Ehrbegriff Folge leisten.

ASSESSOR VON L.: Höchste Zeit! *Es klopft.*

DR. WELLER: Herein! *von Sassen tritt auf.*

SASSEN: Pardong, wenn ich störe! Herr Professor haben sich entschieden?

DR. WELLER: Ich nehme die Forderung an. Mein Schwager, Herr von Lenin, *Verbeugung,* wird das weitere vereinbaren.

ASSESSOR VON L.: Gestatten! Wie lautet die Forderung?

SASSEN: Fünfzehn Schritte. Dreimaliger Kugelwechsel.

ASSESSOR VON L.: Sehr angenehm! Zeit und Ort?

SASSEN: Kann sofort stattfinden. In der Reitschule nebenan.

ASSESSOR VON L.: Dann mal los! Schwager, darf ich bitten!

DR. WELLER: Sofort! *Alle drei gehen. An der Türe dreht er sich um und sagt:* »Elsa!«

ELSA: Sei stark, Adolar! *Assessor von Lenin, von Sassen und Weller ab. Gruppe.*

BOTHO VON LENIN *tritt an die Rampe vor:* Meine Lieben! Er geht, um jenem uralten, edlen Brauche zu folgen, welcher aus der waffenfreudigen Gesinnung unserer Väter hervorgegangen, auch heute noch dem feingebildeten Ehrgefühle der Besten unseres Volkes als unentbehrliches Erziehungsmittel gilt, trotz aller Anfechtungen, welche schlechtberatene und übelwollende, vaterlandslose Menschen gegen sie richten, dieselben Leute, denen nichts heilig ist und die mit frechem Hohn gegen Thron und Altar ihre giftgetränkten Pfeile richten, und wie in allem so auch hier frivol den hohen, sittlichen Gehalt des Zweikampfes leugnen, uneingedenk jenes Dichterwortes »Nichtswürdig ist die Nation, die nicht ihr Alles setzt in ihre Ehre«.

Hinter der Szene fallen in rascher Folge zwei scharfe Schüsse.

Bumm! Bautsch!

Aber die alles nivellierende Richtung unserer Zeit wird hier nichts vermögen und ihre Wogen werden machtlos abprallen von diesem rocher de bronce, hinter welchem wir in geschlossenen Reihen stehen, fest entschlossen, das von den Vätern überkommene Palladium zu hüten und eingedenk, daß jeder Stand sein Besonderes hat, und daß wie dem Volke die Arbeit, so uns die Pflege der Waffenehre zukommt, und daß wir diese uns nimmermehr entreißen lassen, gerade so wenig, wie wir dem Volke die harte Arbeit und die Lust am mühevollen Schaffen abnehmen wollen.

Hinter der Szene fallen wieder zwei scharfe Schüsse.

Bumm! Bautsch!

Gewiß war es ein schöner Gedanke, das Duell abzuschaffen, allein wir müßten vorher den germanischen Ehrbegriff ausrotten, welcher uns zwar erlaubt, unsere Überzeugung der jeweils vorteilhaften Richtung anzupassen, aber immerhin in unserer Brust ein Gefühl zurückläßt, welches ohne Rücksicht auf unsern inneren Wert gegen jede äußere Verletzung sich aufbäumt und sich erst beruhigt, wenn im Gegensatz zu unserer sonstigen religiösen Gesinnung eine zwar von den Gesetzen verbotene, aber sonst hoch angesehene Verletzung erfolgt ist, für die wir, wie für alles, zwar keine genügende, aber doch althergebrachte und schön klingende Entschuldigung haben.

Hinter der Szene fallen wieder zwei scharfe Schüsse.

Bumm! Bautsch!

Und haben werden, so lange jene Worte des Dichters gelten: »Das Leben ist der Güter höchstes nicht«, wenngleich wir es durch uns und insbesondere durch andere möglichst schön gestalten. Amen!

Assessor von Lenin tritt feierlich ein. Von seinem Zylinder, den er auf-behält, wallt ein riesiger Trauerflor.

ELSA: Was ist geschehen?

ASSESSOR VON L.: Tot. Schuß in die linke Seite, zwei Zoll ober-halb der Herzspitze. Kugel noch im Körper.

FRAU VON L.: Ihm ist wohl.

BOTHO VON L.: Er fiel für das Höchste, für seine Ehre.

Gerührte Gruppe.

Vorhang

Missionspredigt

des P. Josephus gegen den Sport

Liebe Christengemeinde!

Im vorigen Jahr habe ich euch den Unzuchtsteufel geschildert, der wo bei schlampeten Frauenzimmern unter dem Busentüchel wohnt oder gleich gar auf der nacketen Haut sitzt, wenn sie ihre seidenen Fetzen so weit ausschneiden.

Er freut sich über die höllische Wärme, die wo beim Tanzen aufakimmt, und rapiti capiti hat er den christlichen Jüngling bei der Fotzen oder beim Heft, mit dem er vielleicht liebevoll die giftigen Dünst' aufschmeckt.

Apage Satanas! sag i, apage du Höllenfürst! Aber natürlich die Menscher müssen flankeln, und wenn die Röck fliegen, mer-ken sie nicht, daß ihnen der Spirigankerl den Takt pfeift.

Liebe Christengemeinde! Jetzt haben wir aber noch einen anderen Unzuchtsteufel, und der ist gleich gar ein Engländer und heißt Sport.

Jesses Marand Joseph! Wenn man mit leiblichen Augen zu-schauen muß, wie da eine unsterbliche Seele nach der andern in die Hölle abirutscht und mit einem solchen Schwung, daß sie im Fegfeuer gleich gar nimmer bremsen kann! Rodelt's nur! Rodelt's nur, ihr Malefizpamsen, daß euch die letzten Unter-röck kopfaus in die Höh steigen und der Teufel gleich weiß, wo er anpacken muß. Zeigt's as nur her, eure Waderln und die schwarzen Strümpf und noch was dazu, daß euer Schutzengel abschieben muß über dem grauslichen Anblick!

Ja, was siech i denn da?

Ein Trumm Mensch, das schon zehn Jahr aus der Feiertagsschul is, schnallt sich Schlittschuh an, wie ein lausigs Schuldeandl, und rutscht am Eis umanand.

Und natürlich, er is aa dabei, der feine Herr mit sein Zwickerbandl hinter die Ohrwaschl!

Habt's as net g'hört, daß die Glocken zum heiligen Rosenkranz läut? Hörts net glei auf mit dem Speanzeln, und mit'm G'sichterschneiden und mit dene Redensarten, die von der Peppen ins Herz hinein tropfen!

O du Amüsierlarven, du ausg'schamte, was hängst denn du deine Augen so weit außer, daß ma's glei an der Knopfgabel putzen könnt?

Hat er was g'sagt, dein abg'schleckter Herzensaff? Hat er was g'sagt, daß deine Kuttelfleck vor lauter Freud in die Höh hupfen?

Und in Rosenkranz gehst net nei, du arme, verlorene Seel, und ausg'rutscht bist aa scho, und der Teufel hat di bei deine langen Haar?

Gelt, da schaugst, wenn di der Teufel mit der glühenden Zang in dein Hintern zwickt, weil's d'n jetzt gar a so drahst? Ja, ja, ja, ja! – Ja, was kimmt denn da daher?

D' Frau Muatta mit die zwoa Töchter auf die Ski?

San S' da, Madam, und hat's Ihnen neig'schmissen in den Schneehaufen, daß de dicken Elefantenfüaß zum Firmament aufistengan? Da kann ja unser Herrgott a halbe Stund lang nimmer aba schaug'n, sunst muaß er dös abscheuliche Schasti-Quasti sehg'n. Pfui Teufi! sag i, pfui Teufi!

Und de Fräulein Töchter, habe die Ehre!

Plumpstika, liegt auch schon da!

Freili, was ma siecht, is ja netter, als wie bei da Frau Mama. Aba g'langt denn dös net, daß Ihnen da Herr Verehrer vom Hofball her bis zum Nabel kennt? Muaß er no mehra sehg'n? Muß Eahna denn der Teufel aa bei der untern Partie derwischen?

Ja, strampeln S' nur mit die Füaßerln! Er schaugt scho hin; er siecht's scho! Servus, Herr Luzifer! Da kriag'n S' amal a feins Bröckerl in den höllischen Surkübel. Amen!

Der Krieg

Ein Schulaufsatz

Der Krieg (bellum) ist jener Zustand, in welchem zwei oder mehrere Völker es gegeneinander probieren. Man kennt ihn schon seit den ältesten Zeiten, und weil er so oft in der Bibel vorkommt, heißt man ihn heilig.

Im alten Rom wurde der Tempel geschlossen, wenn es anging, weil der Gott Janus vielleicht nichts davon wissen wollte.

Das ist aber ein lächerlicher Aberglaube und durch das Christentum abgeschafft, welches die Kirchen deswegen nicht schließt.

Es gibt Religionskriege, Eroberungskriege, Existenzkriege, Nationalkriege u.s.w.

Wenn ein Volk verliert, und es geht dann von vorne an, heißt man es einen Rachekrieg.

Am häufigsten waren früher die Religionskriege, weil damals die Menschen wollten, daß alle Leute Gott gleich liebhaben sollten und sich deswegen totschlugen. In der jetzigen Zeit gibt es mehr Handelskriege, weil die Welt jetzt nicht mehr so ideal ist.

Wenn es im Altertum einen Krieg gab, zerkriegten sich auch die Götter. Die einen halfen den einen, und die andern halfen den andern. Man sieht das schon im Homer.

Die Götter setzten sich auf die Hügel und schauten zu. Wenn sie dann zornig wurden, hauten sie sich auf die Köpfe.

Das heißt, die Alten glaubten das. Man muß darüber lachen, weil es so kindlich ist, daß es verschiedene Gottheiten gibt, welche sich zerkriegen.

Heute glauben die Menschen nur an einen Gott, und wenn es angeht, beten sie, daß er ihnen hilft.

Auf beiden Seiten sagen die Priester, daß er zu ihnen steht, welches aber nicht möglich ist, weil es doch zwei sind.

Man sieht es erst hinterdrein. Wer verliert, sagt dann, daß er bloß geprüft worden ist. Wenn der Krieg angegangen ist, spielt die Musik. Die Menschen singen dann auf der Straße und weinen.

Man heißt dies die Nationalhymne.

Bei jedem Volk schaut dann der König zum Fenster heraus, wodurch die Begeisterung noch größer wird. Dann geht es los. Es beginnt der eigentliche Teil des Krieges, welchen man Schlacht heißt.

Sie fängt mit einem Gebet an, dann wird geschossen, und es werden die Leute umgebracht. Wenn es vorbei ist, reitet der König herum und schaut, wie viele tot sind.

Alle sagen, daß es traurig ist, daß so etwas sein muß. Aber die, welche gesund bleiben, trösten sich, weil es doch der schönste Tod ist.

Nach der Schlacht werden wieder fromme Lieder gesungen, was schon öfter gemalt worden ist. Die Gefallenen werden in Massengräber gelegt, wo sie ruhen, bis die Professoren sie ausgraben lassen.

Dann kommen ihre Uniformen in ein Museum; meistens sind aber nur mehr die Knöpfe übrig. Die Gegend, wo die Menschen umgebracht worden sind, heißt man das Feld der Ehre.

Wenn es genug ist, ziehen die Sieger heim; überall ist eine große Freude, daß der Krieg vorbei ist, und alle Menschen gehen in die Kirche, um Gott dafür zu danken.

Wenn einer denkt, daß es noch gescheiter gewesen wäre, wenn man gar nicht angefangen hätte, so ist er ein Sozialdemokrat und wird eingesperrt.

Dann kommt der Friede, in welchem der Mensch verkümmert, wie Schiller sagt. Besonders die Invaliden, weil sie kein Geld kriegen und nichts verdienen können.

Manche erhalten eine Drehorgel, mit der sie patriotische Lieder spielen, welche die Jugend begeistern, daß sie auch einmal recht fest zuhauen, wenn es losgeht.

Alle, welche im Krieg waren, bekommen runde Medaillen, welche klirren, wenn die Inhaber damit spazieren gehen. Viele kriegen auch den Rheumatismus und werden dann Pedelle am Gymnasium, wie der unsrige.

So hat auch der Krieg sein Gutes und befruchtet alles.

Die Tochter des Feldwebels
Historisches Festspiel

Personen:

Ein General
Ein Oberst
Ein invalider Feldwebel
Unteroffiziere
Soldaten
Der preußische Genius
Der preußische Aar
Ein hoher Beamter
Ein höherer Beamter
Ein höchster Beamter
Zeit: Gegenwart
Ort: Preußen

Erste Szene

Festlich geschmückte Bühne. Verschiedene mit Lorbeer geschmückte Büsten. In der Mitte eine Stange, auf welcher der preußische Aar sitzt; seine Flügel sind beweglich und rauschen, wenn man an der hiezu angebrachten Schnur zieht. Es ist der erste September, Sedanstag. Auf der Bühne stehen Unteroffiziere, Soldaten, Invaliden, Volk. Ein General, ein Oberst, ein Hauptmann, ein Leutnant, ein Feldwebel treten auf.

DER GENERAL:
's ist Sedanstag, der Tag des großen Siegs,
Wo Deutschlands stahlbewehrtes, treues Heer
In eiserner Umarmung rings den Feind
Erdrückte und im Grimm zu Boden schlug,
So wie des Himmels Wächter, Michael,
Der tapfren Deutschen Schlachtenschutzpatron,
Dereinst den giftgeschwoll'nen Drachen schlug;
's ist Sedanstag, wo wir dem neuen Reich
Die erste Perle in das Diadem
Einfügten, noch bevor es recht erstand,
Es ist der Ehrentag für die Armee,
Plä ... plä ... plä ...
Die Kinnlade des Generals fällt herunter; sie hat sich durch frühere Reden aus dem Gelenke verschoben. Ein Unteroffizier stürzt vor und richtet dem General die Kinnlade ein.
DER GENERAL:
Ich danke dir, mein Sohn. – Es ist der Tag,

146

Wo die Armee sich so mit Ruhm bedeckt,
Und sich den Schlachtenlorbeer um die Stirne wand,
Der in Jahrtausenden noch frisch ergrünt,
Es ist der Tag, wo Preußens stolzer Aar,
Zur Sonne lenkte den erhab'nen Flug.
Ein Unteroffizier zieht an der Schnur. Der preußische Adler auf der
Stange rauscht mit den Flügeln.
Ihr alle, die ihr tragt den bunten Rock,
Vom Offizier bis zum gemeinen Mann herab,
Die ihr das Kleid der Ehre euer nennt,
Euch wölbt am heut'gen Tag ein Hochgefühl
Die breite Brust ... plä ... plä ...
Dem General fällt wieder die Kinnlade herunter: ein Unteroffizier
stürzt vor und richtet sie ein.
DER GENERAL:
Ich danke dir, mein Sohn! – Ein Hochgefühl
Braust durch die Adern, und das heiße Herz,
Das ungestüm an eure Rippen pocht,
Es sagt mit jedem Schlage, den es tut:
Ich bin das Höchste, Beste auf der Welt,
Ich bin Soldat, ein preußischer Soldat!
Hurra! hurra! hurra!
Alle stimmen brausend ein, ein Unteroffizier zieht lebhaft an der
Schnur, so daß der Adler fieberhaft mit den Flügeln schlägt.
OBERST *tritt vor:*
Exzlenz! Remment! Erhab'nes Wort,
Wie Flamme lodert, Gut und Blut,
Den letzten Tropfen, schönsten Tod,
Die Fahne, Ehrenbanner, nie zurück,
Wenn Tod und Teufel, König, Vaterland!
Hurraaa!
DER INVALIDE FELDWEBEL:
Verstattet mir bei diesem Fest ein Wort!
Ich bin ein Krüppel, seht ihr, denn mein Bein,
Es liegt in Frankreichs Erde irgendwo;
Bei Sedan traf mich der verdammte Schuß,
Der mir für immer nahm der Jugend Kraft.
Doch hört mich gut, ihr Jungen, die ihr jetzt
Wie einstens wir dem Vaterlande dient,
Nie hat mich Alten dieser Schuß gereut,
Die Kugel traf mir Knochen nur und Fleisch,
Doch nicht den Mut, nicht das Soldatenherz.

Das blieb gesund und frisch. Ich wußte ja,
Verlor ich auch das bißchen Menschenglück,
Mir blieb erhalten noch das beste Teil,
brüllt furchtbar:
Die Ehre blieb mir, ja! Die Ehre blieb,
Das andre gab ich für den König hin,
Und wahrlich, nie hat mich der Schuß gereut!
Tränen rollen in seinen weißen Bart, der General umarmt ihn stürmisch.
DER GENERAL:
Mein Kamerad! Mein tapfrer Kamerad,
Erlaube mir das herzlich traute Du,
Zusammen lagen wir in Feindesland,
Gemeinsam hielten wir die treue Wacht.
Ein Lagerfeuer hat uns oft gewärmt,
Drum sind wir Freunde, Brüder sind wir uns,
Es schwindet jeder Rangesunterschied,
Ein jeder ist dasselbe, ist Soldat,
Drum Kamerad, gib deine tapfre Hand.
Schüttelt ihm herzhaft die Hand, während alle Anwesenden in Hurra-
rufe ausbrechen. Im Hintergrunde erscheint bengalisch beleuchtet der
preußische Genius – als Erzengel Michael.
DER PREUSSISCHE GENIUS:
So ist es recht! Mein Herz ist hocherfreut,
Weil mir beschieden war, dies Bild zu schau'n.
Vernehmt, und hütet treu als gold'nen Schatz,
Was ich euch sage. Stets wird Preußens Heer
Den höchsten Ruhm genießen, wenn ihr so
In dem Bewußtsein alle einig seid:
Die größte Ehre leihet euch der Dienst,
Die größte Ehre leihet euch der Rock,
Ihr seid des Volkes Blüte, seid sein Schmuck,
Das Banner rauscht als heiliges Symbol,
Nicht über einen – über alle hin;
Die Ehre ist der Menschheit höchstes Gut,
Daß sie euch allen gleich beschieden ward,
Sei bis zum letzten Tage euer Stolz!
Seid dankbar! Dankbar! Dankbar!
So wie euch dankbar ist das Vaterland.
Verschwindet. Alle stehen tief erschüttert. Dem General fällt die
Kinnlade herunter. Die Augen des Adlers (rote Glühlichter) leuchten,
während er wieder mit den Flügeln rauscht. Bengalisches Feuer. Kano-
nenschläge. Die Musik spielt die Wacht am Rhein. Der Vorhang fällt.

Zweite Szene

Bureau eines hohen Beamten. Der hohe Beamte ist von seinen Untergebenen umringt.

DER HOHE BEAMTE:
Nun, meine Herren, ich habe mich verlobt.
DIE UNTERGEBENEN:
Wir gratulieren! Gratulieren! Gratulator!
DER HOHE BEAMTE:
Es ist ein hübsches Mädchen aus dem Volk,
Gebildet, häuslich, tugendhaft und lieb!
DIE UNTERGEBENEN:
Dem schönen Bunde alles Erdenglück!
DER HÖHERE BEAMTE *tritt auf:*
Mahlzeit! Was wollt' ich sagen? A propos
Mein Bester, ist es wahr, Sie sind verlobt?
DER HOHE BEAMTE:
Seit gestern, ja.
DER HÖHERE BEAMTE:
So? So? Wer ist die Braut?
DER HOHE BEAMTE:
Die Braut heißt Maier.
DER HÖHERE BEAMTE:
Und der Herr Papa?
DER HOHE BEAMTE:
Er ist ein königlicher Sekretär.
DER HÖHERE BEAMTE:
Man munkelt, doch ich weiß es nicht bestimmt,
Daß er Feldwebel war?
DER HOHE BEAMTE:
Gewiß. Das stimmt.
DER HÖHERE BEAMTE:
Feldwebel! Ehemals Kommißsoldat,
Nichts als Kommiß?
DER HOHE BEAMTE:
Sie hören recht.
DER HÖHERE BEAMTE:
Na, sagen Sie, mein Bester, glauben Sie,
Daß die Verbindung nicht sehr stark chokiert?
DER HOHE BEAMTE:
Der Mann hat sich stets tadellos geführt.

DER HÖHERE BEAMTE:
War tadellos? Na, tadellos ist gut,
Doch glaub' ich schwerlich, daß es ganz genügt;
Dort kommt der Höchste, der Sie nun vielleicht
Darüber aufklärt.
DER HÖCHSTE BEAMTE *tritt auf:*
Äh, ja was ist doch?
Sie sind, so ward ich heute informiert,
Verlobt. Der Vater Ihrer lieben Braut
War mal Soldat, so 'n Unteroffizier?
DER HOHE BEAMTE:
Feldwebel.
DER HÖCHSTE BEAMTE:
Ei, da sieh! Von solchem Rang?
Feldwebel war er? Und Sie nahmen an,
Wir geben wirklich Ihnen den Konsens?
DER HOHE BEAMTE:
Er trug des Königs Rock.
DER HÖCHSTE BEAMTE:
Sehr schön gesagt.
Doch bitte keine Phrasen! Diesen Rock
Trägt der Gemeine auch. Wir sollen wohl
Demnächst erleben, daß sich unser Kreis
Mit Töchtern von Gefreiten unterhält?
DER HOHE BEAMTE:
Verzeihung, Exzellenz. Ich dachte . . .
DER HÖCHSTE BEAMTE:
Sie dachten nicht,
Sonst hätten Sie die Sache überlegt,
Und mußten wissen, daß Sie Ihrem Rang
Mehr Rücksicht schulden.
DER HOHE BEAMTE:
Exzellenz, der Mann,
Zwei Ehrenkreuze trägt er auf der Brust,
Und beide hat im Krieg er sich verdient.
DER HÖCHSTE BEAMTE:
Das soll mir imponieren? Denken Sie?
Ich schätze diese Dinge richtig ein,
Man braucht sie ganz gewiß; denn für das Volk
Sind sie verwendbar. Ist mal so ein Fest
Von Veteranen, Schützen, Feuerwehr,
Dann laß ich ab und zu mich auch herbei,

Den guten Leutchen dies und jenes Lob
Zu sagen; schüttle wohl auch mal die Hand
Von dem und jenem. All das kann man tun.
Doch eines nicht. Man macht sich nicht gemein
Mit Leuten niedern Ranges. Das entehrt!
Der preußische Genius erscheint.
DER GENIUS:
Das war ein gold'nes Wort zur rechten Zeit!
Die Ehre ist des Amtes bester Teil;
So wie ein blanker Spiegel wird sie rasch
Vom leisen Hauch getrübt. Gewiß, es hat
Des Feldes Webel auch ein Menschenrecht,
Und der Begriff von Ehre lebt in ihm.
Ein andres ziemet dem gemeinen Volk,
Und wieder andres ziemt dem hohen Amt.
Dies unterscheidet immer, streng und ernst!
Nur so gedeiht des Preußen Vaterland.
*Der Genius verschwindet von der Bühne und der hohe Beamte vom
Schauplatz.*

Der Sieger von Orleans

Vaterländisches Volksstück in zwei Akten

Personen:

Miadei
Seppei
Der Vater
Ein Postbote

Erster Akt

MIADEI: Jessas, der Seppei!
SEPPEI: Grüaß di Gott, Deandl! Vom höchsten Berg bin i aba-
g'stiegen, bloß daß i dir in deine zwoa Äugerln schaugen ko.
Dö san so klar, als wia der Bergsee, wann der Schnee vergeht
und die Veigerln blüahn.
MIADEI: Is wahr, Seppei? Aba da Vater!
SEPPEI: Ah was! Auf dein Vata – ah, hon i net denkt.
MIADEI: Er hat's aba verboten, daß i mit dir z'sammkimm!

151

SEPPEI: Is die Liab net das höchste G'fühl in der Menschenbrust?

MIADEI: Aba das vierte Gebot Gottes!

SEPPEI: Ah was – auf das vierte Gebot – ah, hon i net denkt.

MIADEI: Oh, mei liaba Bua, tua net a so freveln!

SEPPEI: Schau, Deandl, i bin so muatterseelenalloa auf da Welt, i hab nix als wia di, und wann d'mi du a nimmer mogst, nacha ziag i furt in Kriag, wo die Schlacht am heißesten ist, oder i geh zu die Hindianer nach Amerika.

MIADEI: Na, Seppei, dös derfst net toa. I mag di ja.

SEPPEI: Miadei!

Hinter der Szene furchtbares Gepolter. Türe wird zugeschlagen, ein Tisch umgeworfen. Teller fallen herunter. Der Vater tritt total besoffen auf.

DER VATER: Herrgottsakrament!

MIADEI: Vater, tua di net versündigen!

DER VATER *sieht den Sepp:* Halt's Maul! Is der Lumpf scho wieder bei dir. Hab i net . . .

SEPPEI: Großbauer, i hab koa Geld und koan Hof, aba koa Lump bin i net! Großbauer!

DER VATER: A Lumpf bist, a ganz a hundshäutener . . .

SEPPEI: Großbauer, du kannst vom Glück sagen, daß i dei Tochter gern hab, sonst tat i mei Ehr an dir rächa.

DER VATER: Mach daß d' außi kimmst, du Haderlump!

MIADEI: Vata, schimpf den net, dem mei Herz g'hört.

DER VATER: So? So kimmst du daher? Is das die Ehrfurcht vor den grauen Haaren von dein Vata, du Luader du!

MIADEI: Jessas!

DER VATER: Und dei Religion? Kennst du net Gottes Gebot, du Loas, du miserablige?

SEPPEI: Großbauer, dös reut di no auf dein Totenbett, was d' jetzt g'sagt hast.

MIADEI: I ko nimma glückli wer'n in dem Leben.

SEPPEI: Du zerreißt den Faden der Kindesliebe gewaltsam.

DER VATER: Herrgottsakrament!

SEPPEI: Bleib stark, Miadei, i laß net von dir.

DER VATER: Deandl, i gib dir mein väterlichen Fluach, wann der Mensch no a Minuten im Zimmer is.

MIADEI: Jessas, geh Seppei, geh Seppei!

SEPPEI: Also muaß i, und nacha in Gott's Nam. Siehgst Miadei, i hätt di durchs Leben trag'n auf meine starken Arm', koa Stoandl hätt di ang'stoßen . . .

Der Vater: Gehst net, du Bazi, du ganz schlechter!

Seppei: I geh! Pfüat di Gott Miadei, mi siehgst nimma! *Ab.*

Feierliche Stille. Der Vater nimmt den Hut ab. Miadei schluchzt.

Der Vater: Es is hart, wenn man streng sei muaß. Das Herz hat mir bluat, aba die Ehre is das Höchste von an Bauern, und mei Tochter derf koan Dienstboten heirat'n. Des war gegen die sittliche Weltordnung. So, Miadei, jetzt hör amal 's Rotzen auf, sonscht schlag i dir's Kreuz o, du Loas, du miserablige.

Miadei: O, mei liaba Bua!

Der Vater: Jetzt geh i zum Wirt, du ehrvergessene Tochta, und trink no a sechs, a sieben, an acht Maß Bier. Und du bet dawei zu dein Herrgott, daß er di auf den rechten Weg bringt, du Malafizkrampen, du ganz verdächtige. *Geht hinaus. Poltern. Stühle- und Tischumschmeißen. Teller klirren.*

Miadei *kniet:* Der Himmivata wird no alles recht machen.

Zweiter Akt

Miadei *sitzt auf einem Stuhl und strickt:* Jetz is a Jahr, daß mei liaba Bua in Kriag furt is, und seit zwoa Monat hab i nix mehr g'hört davo, *seufzt,* i – ja! Und der Vater laßt sie net derweichen. Jessas, da kimmt er. *Spektakel wie im 1. Akt.*

Der Vater *total betrunken:* Herrgottsakrament!

Miadei *vorwurfsvoll:* Scho wieder an Rausch, Vata!

Der Vater: Red net so dumm daher. Hast, hast net g'hört, daß der bayrische Löwe den französischen Hahn derworfa hat. Da g'hört si für an Bayern, daß ma dös feiert.

Miadei *seufzt:* I – ja!

Der Vater: So fest wia unsere Berg steht die Treue zum angestammten Herr . . . Herr . . . Herrgottsakrament, Herrscherhaus, daß das woaßt, du Schlitt'n, du ausg'franzter.

Miadei: Ja, aber die tapferen Krieger, de wo die Siege erfochten haben, de ehrst du net.

Der Vater: Aha, du moanst an Seppei. Da werd nix drauß. *Ein scharfer Pfiff ertönt hinter der Szene. Dann der Ruf »Miadei«, nochmals ein Pfiff.*

Miadei: Dös war an Seppei sei Stimm! Allmächtiger Gott! *Seppei tritt herein, die Brust voller Orden, eine Militärmütze auf dem Kopfe. Miadei fliegt ihm entgegen und schreit:* Seppei!

Der Vater: Halt! Da bin i aa no do.

Seppei: Großbauer, i bi nimma der arme Deanstknecht. Schau

her! *Deutet auf seine Orden.* De hab i mir g'holt auf'n Schlacht-
feld.

DER VATER: I liab mei Vaterland, du Hanswurscht, du dappi-
ger, i liab's aus vollem Herzen, wia'r a Kind sei Muatta liabt.

MIADEI: Nacha muaßt aa den liaben, der wo's verteidigt.

DER VATER: Dös is was anders. De feste Ordnung ist vom
Herrgott g'setzt, daß de Tochta von an Bauern koan Knecht
heiraten derf.

SEPPEI: Wo steht dös?

DER VATER: Dös steht in unserm Herzen g'schrieben.

MIADEI: Na, Vata!

DER VATER: Ja, sag i, du triaugete Stallatern!

SEPPEI: So schmeißt also du den Sieger von Orleans außi?

DER VATER: I muaß, und wenn's mi aa hart o'kimmt.

SEPPEI: Miadei, im heißesten Schlachtgetümmel is mir net so
z'Muat g'wen, als wia in dera Stund! Der Säbelhieb von dem
französischen Kürassier hat mi net a so g'schmerzt, als wia
der Abschied vo dir, du armes Deandl.

DER VATER: Jetzt halt amal 's Mäu, du Bluatsmensch!

DER POSTBOTE: A Briaf, a Briaf!

DER VATER: Vo wem?

SEPPEI *hat den Brief genommen:* Dös is unserm Kini sei Hand-
schrift.

MIADEI: Vom Kini? Von ...

DER VATER: Von unserm Kini? Was schreibt de Majestät?

SEPPEI: Glei, glei ... *liest vor:* »Es ist mein allerhöchster Wille,
daß der Großbauer von Wall seine Tochter dem Unteroffizier Josef Brandstetter gibt, für bewiesene Tapferkeit.«

DER VATER: Steht dös wirkli drin?

POSTBOTE: Jawoll, so hoaßts.

DER VATER: Wenn der Kini dafür is, ko da Großbauer net dagegen sein. In Gott's Nam, heirats enk halt.

ALLE RUFEN: Es lebe der Kini und das Bayerland!

*Die Musik spielt die Königshymne. Bengalische Beleuchtung. Alpen-
glühen und Bergfeuer.*

Man schrieb und sprach in der letzten Zeit vieles über unseren Richterstand. Die Frage, ob von uneigentlicher Bestechlichkeit bei eigentlicher Unbestechlichkeit überhaupt gesprochen werden *könne*, wurde von einem hohen Ministerium dahin beantwortet, daß dies jedenfalls nicht geschehen *dürfe*.

Diese Behandlung des kitzlichen Themas ist ebenso erschöpfend als maßgebend, und ich finde die hierin niedergelegte Ansicht um so erquicklicher, als sie sich vollständig mit der meinigen deckt.

Ich habe stets unsere Richter bewundert, weil sie über alle Dinge mit der gleichen Sachkenntnis urteilen und nicht selten gerade das finden, an was niemand dachte. Dabei geht unverkennbar ein großer Zug durch unsere Rechtsprechung; man hat wirklich die Absicht, die niederen Volksschichten zu bessern und zu belehren.

Wenn dies durch Anwendung väterlicher Strenge irgend möglich ist, geschieht es sicherlich gerne, aber es fehlt auch nicht an Versuchen der gütlichen Überredung.

Ich habe schon manchen jungen Amtsrichter beobachtet, wie er im Schweiße seines Angesichtes sich abmühte, um einem verstockten Arbeiter klar zu machen, daß die sozialen Verhältnisse durchaus nicht so schlimm seien, wie dieser sie kennen lernte. Erst gestern bewunderte ich die Geduld und Einsicht der jugendlichen Juristen, als die Sache des Maurers Johann Pletschacher verhandelt wurde.

Der Delinquent war an einem Sonntage vor den Magistrat geladen worden, um seine Invaliditätsversicherungskarte abzuholen.

Er hatte hierin eine unliebsame Störung seiner Sonntagsfreuden erblickt und dies sämtlichen Beamten mit erhobener Stimme so deutlich zu erkennen gegeben, daß er nunmehr auf der Anklagebank saß.

Man sieht, der Fall entbehrte nicht eines gewissen sozialen Beigeschmackes. Dies mochten wohl auch die Herren am Richtertische fühlen.

Der Amtsanwalt reckte sich straffer im Stuhl zurecht und strich bedeutungsvoll den kleinen Schnurrbart. Das jugendliche Gesicht des Vorsitzenden bekam ein finsteres Aussehen, und die Stimme klang mehrere Nuancen schärfer, als er Johann Pletschacher ins Gebet nahm.

Es entwickelte sich das sattsam bekannte Frage- und Antwortspiel.

Im Verlaufe desselben zeigte es sich deutlich, daß die Verfehlung des Münchener Fassadenmaurers nicht auf bloße seelische Erregung, sondern auf die ganze Charakterbildung desselben zurückzuführen war.

Er glaubte hartnäckig, daß er im Rechte war; er sprach davon, daß, wer die ganze Woche arbeite, am Feiertage seine Ruhe haben möchte; er stellte die Ansicht auf, daß die Beamten wegen die Leut, und nicht die Leut wegen die Beamten da seien; er versuchte nachzuweisen, daß er sich nichts zu gefallen zu gelassen brauche, kurz er brachte lauter Dinge vor, welche in das Politische hinüberspielten.

Dabei war er auch in der Form durchaus nicht korrekt.

Seine Stimme, welche durch starkes Schmalzlerschnupfen eine unangenehme Klangfarbe angenommen hatte, war roh und verletzend; überdies schien Pletschacher zu glauben, daß seine Gründe besser würden, wenn er sie mehrmals und immer lauter vorbrächte.

Die Debatte wurde ziemlich erregt, und als der Vorsitzende in berechtigter Entrüstung dem Angeklagten vorhielt, daß es ja nur sein Bestes wäre, wenn der Staat für die alten Tage der Arbeiter sorge, da erklärte Pletschacher feierlich, daß er auf die Altersrente pfeife, und daß er sie jedem im Zuschauerraum überlasse, der sie wolle.

Ich fürchtete bereits, daß diese Kühnheit üble Folgen haben werde, allein zu meinem Erstaunen blieb der Vorsitzende ruhig.

Er nickte nur schmerzlich mit dem Kopfe, wie jemand, der etwas lange Gefürchtetes bestätigt sieht. Dann warf er einen verständnisinnigen Blick zum Amtsanwalte hinüber, der mit wilder Energie den Schnurrbart drehte.

»Pletschacher«, sagte der Vorsitzende mit weicher Stimme. »Pletschacher, gelt, Sie sind Sozialdemokrat?«

»Dös glaab i«, erwiderte dieser, »seit s' dö Partei hamm, bin i dabei.«

»Ach so! Jetzt wird mir vieles klar.«

Der junge Amtsrichter sah bei diesen Worten so nett und so intelligent aus, daß ich ihn wirklich lieb gewann.

Ich merkte, daß er keinen Groll gegen den Angeklagten hegte, und daß ihn nur ein tiefes Mitleid mit dem Unglücklichen erfaßt hatte.

Er räusperte sich mehrmals, wie jemand, der eine längere

Rede vor hat, und dann fragte er gütig: »Pletschacher, sehen Sie nicht ein, wie weise dieses Gesetz ist, welches Ihnen ein glückliches Alter verbürgt?«

»Na! Dös siech i net.«

»Ja, aber Pletschacher, passen Sie mal auf, nehmen wir mal an, Sie werden alt, müde, gebrechlich, Sie werden siebzig Jahre alt . . .«

»Dös glaab i net . . .« – »Was glauben Sie nicht?«

»Daß i siewaz'g Johr alt wer, glaab i net.«

»Ja, warum? Gehört das zu den Unmöglichkeiten?«

»I glaab's halt net . . .«

»So! Sie glauben es einfach nicht? Hm! Gut! Aber Pletschacher, selbst angenommen, Sie würden dieses Alter nicht erreichen, dann werden doch andere, Ihre Mitarbeiter, diese Wohltat genießen . . .«

»Wos brauch denn i für anderne zahl'n? Dös gibt's gar net!«

»Das ist es eben!« fiel hier der Amtsrichter eifrig ein, »das ist es eben! Sehen Sie, Pletschacher! Da fehlt Ihnen die Einsicht, der Sinn für die Allgemeinheit, für das Ganze, für den Staat.«

Pletschacher nahm eine Prise Schmalzler und sah ironisch auf seinen Lehrer, der mit erhobener Stimme fortfuhr: »Der Staat ist eben, ja, wie soll ich mich Ihnen verständlich machen, der Staat ist wie eine Bienenkolonie, wie ein Bienenkorb, in Zellen eingeteilt; jede Biene hat ihre Zelle für sich, ihre Funktionen für sich, aber alle greifen zusammen. Verstehen Sie mich?«

»Na, und glaaben tua i's aa net.«

»Was glauben Sie nicht?«

»Daß der Schtaat wie a Bienenkorb is, glaab i net, Herr Amtsrichter. Bei die Bienen wer'n dö, wo nix arbet'n, umbracht, bei ins aba hamm s' des schönste Leben. Do is grad umkehrt.«

Das Gesicht des Vorsitzenden hatte sich bei diesen Worten verfinstert, jede Milde war aus demselben verschwunden.

Er sah, daß mit Vernunftgründen eine Besserung nicht zu erreichen war, und beschloß wohl, die ganze Strenge des Gesetzes anzuwenden.

In der Tat wurde Pletschacher mit der höchsten Strafe bedacht. Ich fand es durchaus richtig. Der Mann hatte die Möglichkeit, von seinen Irrtümern geheilt zu werden, schnöde verscherzt. Da ist Milde von Übel.

Finstere Zeiten oder Der Leberkas

Volksschauspiel in einem Aufzug

Personen:

Der alte Eckmaurer
Xari ⎫
Schorschi ⎬ seine Söhne
Beni ⎭
Zenzi, Xaris Ehefrau
Zwei Kinder
Ein Volksredner

Spielt in einem Wirtsgarten in Giesing an einem sonnigen Montagnachmittag. Man hört eine Ziehharmonika aus der Ferne.

DER ALTE ECKMAURER *traumverloren:* Dös war selbigsmal, wie mir no zehn Stund g'arbet hamm ...

XARI *aufschreiend:* Zehn ... Schtund?!

SCHORSCHI: G'arwat?!

DER ALTE ECKMAURER: Ja ... ja ... wenn i's sag ... zehn Schtund ...

DER VOLKSREDNER *zornig aufschnellend:*
  Zehn Stunden Sklavenfron! Zehn lange Stunden!
  Blutrünst'ger Sklaverei! Die harten Hände
  Von Schwielen übersät, und so erlahmt,
  Daß keine Faust sich ballen konnt ... o Volk!

SCHORSCHI: Lassen S' an Vater verzähln ...

ZENZI *ruft hinter die Szene:* Pepi! Nanni! da kommts her! da kommts eina! *Die Kinder kommen.* Gehts zum Großpappi her, er verzählt von der bä ... bä Arbeit ... horchts no zua ... daß 's beizeit'n an Abscheu kriagts ... *Die Kinder umdrängen den Eckmaurer.*

DER ALTE ECKMAURER: Glei ... glei. Wo hab i denn mei Brisilglasl? ... Ah ... so ... Da waar i jetzt beinah mit 'n Arm drauf g'sessen ... *öffnet mit zitternder Hand das Brisilglas und haut sich eine Prise auf die Hand* ... Ja ... meine liab'n Kinder ... dös Brisilglasl da ... dös war oft mei Trost im Unglück ... in der Gschlaverei ... Also dös war selbigsmal. Von sechsi in der Fruah bis um sechsi auf d' Nacht war i am Bau ...

BENI: Dös san ja zwölf Stund!

SCHORSCHI: Herrgottsaggera . . . wenn ma so was hört . . . heut derfat i koan Balier begegna . . . is guat, daß's Montag is . . .

VOLKSREDNER:
O Sonne! Kaum entstiegst du deinem Bette,
O Tag, kaum bleichtest du nach müder Nacht,
Da schleppt sich dieser Märtyrer der Arbeit
Zu neuer Qual . . .

XARI: An Vater laß red'n . . . Zwölf Stund . . . Vata?

DER ALTE ECKMAURER: Zwoa Schtund hamm ma Mittag gmacht, aber de ander Zeit . . . ja, Leut, wenn man so dran denkt . . . um sechsi steigt ma nauf, ziahgt an Janker aus, ziahgt an Schurz o, suacht sei Latt'n, legt sei Brisilglas auf an Stoa, derwei hat ma sein Hammer vagess'n, steigt oba und holt'n, richt' sei Kell'n her und wart auf d' Mörteltruchn . . . Endli is simmi worn. Ja, Leut, da lernt ma, wia hart 's Wart'n is . . . um simmi komma s' mit der Biertrag'n, no da nimmt ma sei Maß und trinkt amal, na nimmt ma an Stoa, dös hoaßt also an Ziagelstoa, und haut dro rum, bis der Genosse kimmt, der wo neben oan arwat und was wissen möcht. Na haut ma an Mörtelbatzen ani und setzt an Stoa auf und ruckt hin und ruckt her, und will mess'n, aber daweil hot der Genosse sei Latt'n vagess'n und hat de dei z'leich'n g'numma. No, na holt man sei Latt'n bei dem Genossen, und da fallt oan was ei, was ma wissen möcht, und na geht ma z'ruck und nimmt sein Stoa, nämli an Maßkruag, und trinkt amal. Und na nimmt ma d' Latt'n und meßt . . . no und mit dera Arwat is langsam halwi neuni worn. Da is de erste Brotzeit g'wes'n; da san s' mit der Biertrag'n komma . . . de hat a halbe Stund dauert, de Brotzeit.

Nachdem hat ma si wieder zu der Arwat g'richt, stellt sei Latt'n zuawi, legt sei Brisilglasl auf an Stoa und fangt wieder o. Ja Leut, aber dös war net dös härteste. Heute habts ös de Betriebsrät, de wo bloß Obacht geb'n, daß d' Arwat rechtzeiti aufhört, selbigsmal hat's Aufpasser geb'n, de beobacht hamm, daß d' Arwat rechtzeiti o'fangt . . .

SCHORSCHI, XARI, BENI *erregt:* Ja . . . ja! Ja . . . Bluat von da Katz!

DER ALTE ECKMAURER *mit erhobener Stimme:* Balier hamm ma g'habt, Balier, de san g'wen, wia sag i denn glei? Wia de Hyänen; de san um oan rum g'schlicha, hamm de g'schlitzt'n Aug'n auf oan g'richt', san nimmer weg, hamm oan nimmer aus de Aug'n lass'n, und zählt hamm s', wia oft daß ma si

schneizt, und aufg'schrieben hamm s', wia oft daß d' mit Re-
schpekt nunter g'stiegen bist zu dein Bedürfnis. *Sehr aufgeregt.*
»Dös möcht i derleb'n«, hat amal zu mir a Balier g'sagt, »dös
möcht i derleb'n, daß Sie in der Brotzeit d' Hos'n um-
drahn« . . . in da Brotzeit, sagt er. »Sie«, sag i, »Herr Balier«, sag i . . . »d' Natur laß ma'r i von Eahna net vor-
schreib'n, und von da Natur«, sag i, »laß i mir mei Brotzeit
net verkürz'n . . .«

DER VOLKSREDNER:

> Werktätig Volk, im innersten Empfinden
> Gekränkt, beleidigt, vergewaltigt oft,
> Wie mußte sich der Zorn in deinem Herzen
> Zur Lava ballen, bis sie glühend dann
> Von keiner Schranke mehr gehalten wurde,
> Und rauchend, Flammen speiend, fürchterlich
> Hernieder stürzte . . .

SCHORSCHI: Jetzt lassen S' an Vater red'n . . .

DER KLEINE PEPI: Großbabbi, wann bis denn in Dino danga?

DER ALTE ECKMAURER: Was sagt da Bua?

ZENZI: Er moant, wann du ins Kino ganga bist, weil i alleweil
um vier Uhr einigeh . . . dös woaß der Bua.

DER ALTE ECKMAURER *wehmütig:* O mei Bua, zu derselbigen
Zeit da hat's koa Kino geben für den armen Mann aus 'n
Volk . . . Also, daß i weita verzähl . . . Im Nachmittag nach
'n Essa is dös gleiche g'wen. Bloß daß ma allaweil härter
g'wart' hat, je näher da Feierabend komma is. O meine
Leut, wenn da wo a Kirchenuhr g'wen is, wia oft hab i da de
Zeiger zuag'schaugt, wia 's oan Rucker um den andern
macha, fünf Minut'n . . . no amal fünfi . . . no mal . . . Jessas!
Jessas! Werds denn gar net sechsi? Und endli is as wor'n . . .
endli . . .

XARI: Daß si de Menschheit dös g'fallen hat lassen!

SCHORSCHI: Und ausg'halt'n . . . Daß du so a Leben ausg'halt'n
hast, Vater!

DER ALTE ECKMAURER: Ja no . . . wia 'r i sag, mei Brisilglasl . . .

BENI: Und daß halt aa was Richtigs zum Essen geben hat . . .

DER ALTE ECKMAURER: Und a Bier. Mit dem Schäps da, mit
dem g'farbt'n Wassa, hätt ma de Arwat net leist'n kinna. Mir
hamm a Bier g'habt, was a Bier hoaßt. Und zu da Brotzeit an
Leberkas, an warma, notabeni, und so groß wia 'r a Ziagl-
stoa. Da hat ma si sei Kraft wieda g'holt.

DER KLEINE PEPI: Großbabbi, was i denn a Lebadas?

ZENZI: Was a Leberkas is, fragt a.

DER ALTE ECKMAURER *tief erschüttert:* A Leba ... Ja so ... Du arma Bua! Dös Kind hat no koan Leberkas net g'sehg'n ... Es kimmt oan vor, als kunnt so was net sei ... an de Unmenschlichkeit denkt ma net ... O mei Bua ... Was a Leberkas is? Es is halt a Kas, woaßt, aber koa solchena Kas, wia der Kas, den wo du kriagst ... es laßt sie net beschreib'n .. du arms Kind, du woaßt ja nix von da guat'n alt'n Zeit ...

SCHORSCHI: Jetzt hoaßt d'as du a so?

DER ALTE ECKMAURER *barsch:* Brotzeit moan i natürli. Ös habts allerdings de besserne Arwatszeit errungen, aber de besserne Brotzeit hamm mir g'habt ...

DER KLEINE PEPI *heulend:* I mecht an Lebadas!

DER ALTE ECKMAURER *erschütternd:* I glaab di's, du arms Kind ... i mecht ja aa wieder oan. Mir alle mecht'n oan. Wann ma's richtig o'schaugt, waars ma glei liaba, a guats Bier, a Trumm Schwartnmag'n oder a Surhax'n und an Kabidalismus dazua ...

XARI: Gegen de zehnschtündige Arwat hätt i mir scho helfa kinna ...

SCHORSCHI: Und gegen de Unterdrückung ...

BENI: Hätt'n ma halt g'suffa, bis ma's nimmer g'spürt hätt'n.

DER ALTE ECKMAURER: Der alte Seehauser Ferdl hat's allaweil g'sagt. Hörts mir auf, hat a g'sagt, mit enkern G'schroa nach der neuen Weltordnung! I will de alte, wo 's blau macha lustig is und wo mi a jede Viertelstund freut, um de i an Balier b'scheiß ... Jetzt hamm ma d' Freiheit ...

SCHORSCHI: Und de achtstündige ...

BENI: Und an Plempi ...

XARI: Und koan Leberkas ...

DER VOLKSREDNER:

    O Fluch der Menschheit, daß es nichts Vollkommnes,
    Daß es kein wahres Glück gibt auf der Welt.
    O elend Schicksal aller Erdgebornen!
    Bedenk ich's recht, so war umsonst der Kampf,
    Der heiß und lang geführte um die Freiheit ...
    Wir feiern unsern Sieg mit diesem Bier,
    Das keiner unsrer Väter je getrunken ...
    Sind wir nicht tiefer noch als sie gesunken?

DER ALTE ECKMAURER, XARI, SCHORSCHI, BENI *unisono:* Himmi ... Herrgott ... Bluat ... Himmi ... Herrgott ...

DER KLEINE PEPI: I mecht an Lebadas ...

Der Vorhang fällt über der trauernden Gruppe.

Erlebnisse und Gedanken der Babette Fröschl, ehemals Dienstmädchen, später Pulverfabriksbeamtin, zurzeit arbeitslos. Mitgeteilt aus ihrem Briefwechsel.

Liebe Marih!

Das du noch in eirem geschehrten Orte siezen magst wundert mich schon, aber fieleicht wirst du auch noch gescheit und machst deinem Bauern nicht mer fir einen Pfifaling den Drampel.

Ich hätte schon anderne stehlen bekommen, das kan ich dir sagen, sogahr bei einen Viehendler und Einkaufbeahmten, wo jetzt die hechsten Beamthen sind und im Monath mer haben, wie ein Bresident im Jar. Aber schneggen, wahn ich thum bin. Eine stehle kann man jetzt iemer haben, das kahn ich dir sagen, wen mahn mahg. Mir ferlaubt es aber mein Karieh nichd, der, wo ich dir schon geschrieben habe, das mir in der Bulferfabrieg in Tachau wahren und er wahr aufsäher und hernach ist er Hadudant gewest fom Schtattkomatant und hernach ist er zweiter Bolizeibresident wohren und jez ist er arbeizloser.

Neben seiner Bension fier arbeizlosigkeit bedreibt er auserdem einen schlaichhandel dadurch das ich vom lande wahr und bei Erding zu hauße war. Fon den geschärten hohlen wir alerhand, leuder das dieße rahmeln jez auch schon höll auf der blathen sind und der Karie ergert sich oft driber.

Ich hawe dier aber schreim wohlen damit das du in die Schtadt komst, den mit dem schlaichhandel kanzt du dier fiel verdinen und wan du nichd gleich einen schaz finzt kan ich dier schon einen besorgen. Du klaubst nichd wie es jez lustig is und fil lustiger als wi zu for, wo mahn als Dienzbothe gegnächtet wahr.

Der Karie sagt ofd es reid ien jede stund wo er was garbeid hat und es wahr gewies nichd fil aber es reid ien doch.

Mich reid es ebenfahles.

Ich gehe jeden Dag um fir uhr in ein Kieno.

Libe marih, frieher in der Zeid wo wir ahle unterdrikt wahren und Gschlafen fon dem kabidalismus, und wie ich zuerscht ein Dienzbothe wahr, da häde mahn gar nichz dafon gehabd bald mahn sich einen freien nachmiedag herausgeschwiendelt hat, auser das mahn ins wierzhaus gegangen ist und da had mahn seinen schaz fil bier und essen zallen missen.

Da had mahn schon gar keine Freide dazu gehabt zum blau machen und ich hawe sogahr liber garbeid aus ferdrus.

Aber jez ist es ganz anderst.

Libe marih dadurch das mahn das Kieno had ist erst die arbeizlosigkeit schener gewohrden und angenähmer und bald man lang im bet liegen bleibt und im nachmidag ins Kieno geth ist es ein härliches leben, wie mahn es frieher nichd gekennt had.

Du hast neilich geschriem mid der arbeid ferget dier die zeid.

Libe marih mit dem Kieno ferget sie auch und fil angenähmer.

Dadurch ist dieße Kunzt eine solchene wollthat fier das werktetige Volk, das es iehm die arbeizlosigkeit fersießt.

Ich kauffe mier was zum schläggen und seze mich hinein und suzle ganz gemiedlich meine Zelteln, derweil schaue ich dieße grosartige Kunzt an.

Du klaubst nichd was man da ahles siechd, lauter schene romahne und du brauchst nichd einmahl zu läsen sontern blos schaugen und kanzt dabei schnuhlen.

Forgestern wahr ich in einem da wahr ein mohrd in einem Kehler und es hat sich zwegen einer erbschafd gehandelt, di wo einer megen häd, der gar nichd der bedrefende wahr sontern er hat den andern in amerikha um bracht gehabt und ißt mit seine babier als Erbe kohmen und wahr schon mithen in reichdum und gelt und had mit die schensten mentscher schambanniger trunken. Da had man sich gergert und es haz aber ein amerikhanischer Dedektif aufbracht. Ich weis es nichd mer genau wie ers aufbracht had weil ein matroße neben mir gsässen ißt, wo ser fräch wahr, aber ein sehr nether mentsch.

Gestern wahr ein läbensbild fon einem ahrmen mätchen in das wo sich ein barohn ferlibt der schon ein alther Dadetl ist und er häth noch Kubiezen auf das junge Mätchen, wo fileicht noch unschuldig wahr aber der son fon dissem barohn ist auch fon der libe ergriffen wohrden und hat seinen elenthen fatter, wo im alther auf das junge bluth gedirschtet had, einen stos gegehm das er umgfahlen ist und fom schlahge betropfen toth wahr.

Man hat ien fors giericht gestehlt und ferurteilt und das schafoth wahr schon hergericht und halb hawe ich beth, das er gerethet wird und halb were ich doch neigierig gwesen, wie das köbfen ist, aber da hat sich wer gemelt, der wo ales gesähen had. Wer glaubs du, das es wahr? Ein andernes mentsch fon dissem barohn, die wo aber schon elter wahr und zu iem had schlaichen wohlen und hat hinder einem forhang ales gsähen, das es blos ein stos wahr und der toth is zufelig dazu kohmen. Da wahr er gerethet und hat si geheirat, aber nichd die elterne, wo ien gerethet had sondern das junge Mätchen, wo als dienzbothe angfangen had und is dan barohnin wohrden mit einem gschloß. So was kehnte mahn schon auch braugen. Dem matroßen wo ich zufelig wider tropfen habe had es auch ser guth gefalen.

Libe marih kohme bald und lase Dich nichd fon dissen bauern ausniezen. Wegen dem das die zeid ferget brauchs du nichd mer zun arbeiden, den jez haben wier disse einrichtung, das man in Kienoh gehen kahn.

Es ist iemer gans fol und oft get mahn in zwei und in drei und was man da ahles derlebt ißt schohn was andernes als frieher wo mahn den boden butzt hat und teler gewaschen. Mahn schleggt die sießigkeithen und es stet auch in der zeidung, das mahn dadurch das Folk bieldet und aufklehrt. Die alden Hudschen lasen wier in die Kirchen gehn und die jugenth get ins Kieno.

Es ißt auch iemer musikh dabei und oft ein ohrgel, balz trau-rig wird. Mahn lärnt auch was, wie es auf der welth zuget und siecht wie ofd eine ier glükh machen kahn zum beischpil disses Dinsmätchen mit ierem barohn.

Mahn siechd nichd daß eine arbeiden mus, sontern durch eine erbschaft oder das grose los oder durch eine libschaft get es fil schener.

Libe mahri sei gescheid und kohme bald.

Es grist dich deine
Dreie freindin
Babeth Fröschl.

B. S. So ein matroßen kanzt du auch leicht krigen. Er ißt aber nicht auf dem mehr gewesen sontern in Heidhaußen und had auf der Festwise geschaugelt, wie noch der Kabidalismus wahr.

Ludwig Thoma

Agricola
Bauerngeschichten.
Textrevision und Nachwort von Bernhard Gajek.
1986. 164 Seiten. Serie Piper 487

Altaich
Eine heitere Sommergeschichte.
4. Aufl., 171. Tsd. 1980. 263 Seiten. Piper-Präsent

Ausgewählte Werke
1985. 729 Seiten. Geb.

Für Politiker
Herausgegeben von Günther Lutz. 1980.
150 Seiten. Piper-Präsent

Heilige Nacht
Eine Weihnachtslegende.
Mit Zeichnungen von Wilhelm Schulz.
22. Aufl., 169. Tsd. 1984. 64 Seiten. Geb.
(Auch in der Serie Piper 262 lieferbar)

Josef Filsers Briefwexel
Textrevision und Nachwort von Bernhard Gajek.
Mit 29 Zeichnungen von Eduard Thöny.
21. Aufl., 620. Tsd. 1986. 188 Seiten. Serie Piper 464

PIPER

Ludwig Thoma

Lausbubengeschichten
Aus meiner Jugendzeit.
Mit 35 Zeichnungen von Olaf Gulbransson.
24. Aufl., 511. Tsd. 1984. 149 Seiten. Piper-Präsent

Lausbubengeschichten – Tante Frieda – Josef Filsers Briefwexel
1981. 355 Seiten. Geb.

Ein Leben in Briefen
(1875–1921). 1963. 503 Seiten und 26 Fotos. Leinen

Magdalena
Ein Volksstück in drei Aufzügen.
Textrevision und Nachwort von Bernhard Gajek. 1985.
120 Seiten. Serie Piper 428

Mein Bayernland
Ausgewählt von Günther Lutz. 1985. 144 Seiten mit 12 Fotos. Geb.

Moral
Komödie in drei Akten.
Textrevision und Nachwort von Bernhard Gajek.
2. Aufl., 11. Tsd. 1985. 102 Seiten.
Serie Piper 297

PIPER

Ludwig Thoma

Münchnerinnen
Roman.
Textrevision und Nachwort von Bernhard Gajek.
2. Aufl., 9. Tsd. 1985. 209 Seiten. Serie Piper 339

Papas·Fehltritt
3 Erzählungen.
1978. 113 Seiten mit 3 Vignetten. Piper-Präsent

Der Postsekretär
und andere Geschichten
Einführung von Johann Lachner. 1983. 217 Seiten. Piper-Präsent

Die schönsten Romane und Erzählungen
Jubiläumsausgabe in sechs Bänden. Herausgegeben von
Richard Lemp. 2. Aufl., 67. Tsd. 1983. 2053 Seiten. Geb.

Tante Frieda
Neue Lausbubengeschichten.
Mit 38 Zeichnungen von Olaf Gulbransson.
14. Aufl., 261. Tsd. 1983. 170 Seiten. Piper-Präsent
(Auch in der Serie Piper 379 lieferbar)

Der Wilderer
und andere Jägergeschichten
Textrevision und Nachwort von Bernhard Gajek.
1984. 119 Seiten. Serie Piper 321

PIPER

Karl Valentin

Die alten Rittersleut
Szenen und Stücke.
1981. 123 Seiten. Piper-Präsent

Brilliantfeuerwerk
Mit Zeichnungen von Karl Arnold.
3. Aufl., 19. Tsd. 1982. 141 Seiten. Piper-Präsent

Der Feuerwehrtrompeter
Monologe und Couplets.
4. Aufl., 24. Tsd. 1982. 125 Seiten. Piper-Präsent

Die Friedenspfeife
Eine Auswahl aus dem Werk.
1983. 121 Seiten. Serie Piper 311

Gesammelte Werke
Band I: Monologe und Dialoge
Band II: Couplets – Szenen und Stücke 1
Band III: Szenen und Stücke 2
Band IV: Szenen und Stücke 3
2. Aufl., 38. Tsd. 1983. Zus. 781 Seiten. Geb.

PIPER

Karl Valentin

Gesammelte Werke in einem Band
Herausgegeben von Michael Schulte.
2. Aufl., 18. Tsd. 1986. 649 Seiten. Geb.

Die Jugendstreiche des Knaben Karl
Herausgegeben von Bertl Valentin-Böheim. 1986.
116 Seiten mit 70 Zeichnungen von Ludwig Greiner. Serie Piper 458

Riesenblödsinn
Eine Auswahl aus dem Werk. 1985. 159 Seiten. Serie Piper 416

Karl Valentin für Kinder
Ausgesucht und illustriert von Janosch. 1984. 79 Seiten. Geb.

Das Valentin-Buch
Von und über Karl Valentin in Texten und Bildern. Hrsg. von
Michael Schulte. 6. Aufl., 72. Tsd. 1985. 535 Seiten mit
111 Abbildungen und Faksimiles. Serie Piper 370

Bertl Valentin
»Du bleibst da, und zwar sofort!«
Mein Vater Karl Valentin. 3. Aufl., 23. Tsd. 1982. 176 Seiten,
4 Abbildungen. Piper-Präsent

PIPER

Der reparierte Firmling
Karl Valentins komisches Wörterbuch

Herausgegeben von Dieter Wöhrle. 1986. 135 Seiten mit
24 Illustrationen von Borislav Sajtinac. Geb.

Daß er ein Meister war im Verdrehen des Wortes, im Querlegen
des Sinnes, den der seiner eigenen Definition nach »gesunde«
Menschenverstand diesem zuordnet, ist hinlänglich bekannt.
Karl Valentins verbale Grotesken, die heillosen Verwirrungen,
die er auf dem Gebiet der vernünftigen Vokabeln angerichtet hat,
mußten bisher allerdings mühsam aus seinem Werk
herausgeklaubt werden – ein beschwerliches Unterfangen für
Vereinsvorstände, Partyplauderer, für Feierabendkomiker und
Kanzlerkandidaten. »Karl Valentins komisches Wörterbuch« macht
diesem unhaltbaren Zustand nun ein Ende: Sorgfältig sortiert nach
den Buchstaben des Alphabets findet der Leser hier eine quersinnige
Definition nach der anderen – von »Abhängigkeit« (»Wir lassen uns
das nicht gefallen, Sie sind auf uns nicht angewiesen, aber wir
auf Sie, das müssen Sie sich merken!«) bis »Zukunft« (»Die Zeit
war früher auch schon besser!«)
Gelockert wird die intellektuelle Anspannung, die das Verfolgen der
valentinesken Querbeetereien erzeugt, durch die kongenialen
Illustrationen von Borislav Sajtinac, der sich mit seiner surreal
inspirierten Zeichenfeder als würdiger Adept Valentins erweist.
Dieses Buch gehört in alle Haushaltungen, als Ratgeber und
Nachschlagewerk für alle Lebenslagen, denn: »Wissen Sie schon,
daß mancher nicht weiß, was er wissen soll, obwohl er schon viel
weiß und es selbst unbewußt nicht gewußt hat?«

PIPER

Bayerisches Lesebuch

Von 1871 bis heute
Herausgegeben von Günther Lutz.
1985. 599 Seiten. Serie Piper 431

Über gut hundert Jahre spannt sich der Bogen
dieses Lesebuches, das – zusammengestellt von einem
profunden Kenner der neueren bayerischen
Literatur – ein Panorama des weiß-blauen Freistaats
im Spiegel seiner Literatur bietet:
Neben Klassikern wie Ludwig Thoma und Lena Christ
stehen als Vertreter der jüngsten Zeit Herbert
Achternbusch und Gerhard Polt, neben den Barden
der Schwabinger Bohème Frank Wedekind und
Heinrich Lautensack stehen so volks- und
brauchtumsverbundene Autoren wie Georg Queri und
Karl Stieler, neben dem Räterepublikaner Ernst Toller
der Naturlyriker Georg Britting. Die Pflichtlektüre
für den Bayern, für den auf das Land hinter der
Donau Neugierigen eine hervorragende Einstimmung.

PIPER

Siegfried Zimmerschied

Für Frieden und Freiheit
Ein Holzweg in vierzehn Stationen
1986. 128 Seiten. Serie Piper 552

Vierzehn Stationen benötigt der Hausmeister Wick Wimmer
auf seinem »Holzweg«, der ihn unaufhaltsam zum
aussichtsreichen Kandidaten einer christlichen Partei
aufsteigen läßt – als »Alibiwurzelsepp«. Wie seltsam
leicht sich alles fügt, wie die erwünschten Ehrenämter
und öffentlichen Würden einem mit dem rechten Parteibuch
und der passenden Gesinnung von selbst zufallen, das
verblüfft Wick Wimmer genauso wie der jähe Sturz
aus dem Himmel christlicher Politik, der ihn am Ende
dieser Szenenfolge ereilt.
Siegfried Zimmerschied kennt das dargestellte Milieu aus
eigener (leidvoller) Erfahrung – schon seit Jahren ist
er die Laus im Filz der Passauer Heiligen Allianzen –
mit seinem Wick Wimmer hat er eine Gestalt geschaffen,
die exemplarisch Opfer wie Mittäter dieser
allerchristlichen Union ist.

Piper